Ecritures arabes

Collection dirigée par Marc Gontard

D0967623

Du même auteur

« Entre deux », *Contes et Nouvelles de Langue Française*. Sherbrooke : Cosmos, 1976.

Veil of Shame : The Role of Women in the Contemporary Fiction of North Africa and the Arab World. Sherbrooke : Naaman, 1978.

Montjoie Palestine ! or Last Year in Jerusalem (traduction du poème dramatique de Noureddine Aba). Paris : L'Harmattan, 1980.

L'excisée. Paris : L'Harmattan, 1982. (traduction anglaise et allemande).

Contemporary Arab Women Writers and Poets (avec Rose Ghurayyib). Beyrouth : IWSAW, 1985.

Sexuality, War and Literature in the Middle East (à paraître, New York University Press, 1989).

Articles et poèmes dans *Mundus Artium, Folio, French Review, World Literature Today, Research in African Literature, Présence Francophone, Arab Perspectives, MERIP Al-Raïda, Ba-Shiru, Écriture Française, AUB Case Book, ABPR Book Reviews, Plurial, Feminist Issues, Les Cahiers du Grif, International Feminist Forum*, etc.

Ce roman s'accompagne d'une cassette de chansons — composées et interprétées par l'auteur — pouvant être acquise séparément.

© L'Harmattan, 1988
ISBN : 2-7384-0089-2

Evelyne Accad

COQUELICOT DU MASSACRE

Editions L'Harmattan
5-7, rue de l'Ecole-Polytechnique
75005 Paris

La ligne vient d'être brisée, la séparation comblée. Cendres, poussière et brindilles s'éparpillent au vent, dans la forêt de cèdres. L'homme s'approche d'elle chaleureux, réconfortant, avec ses épaules carrées, sécurisantes. Son sourire est légèrement cynique, ses yeux ronds semblent poser des questions, regarder au loin. Son corps près d'elle, la protège du vent qui grossit. Elle se blottit contre lui, des mots retenus pendant des mois, jaillissent :

- Je t'aime, murmure-t-elle, avec un brin de réserve, comme si par cette phrase, elle craignait de l'effrayer, tant elle sent la force de cette révélation qui va les entraîner vers la démarcation, centre de la rupture. Sa voix timide est très douce. L'homme recule, alarmé. Il prend une cigarette, l'allume lentement en évitant de la regarder.

- Mais non, tu ne m'aimes pas, dit-il après un instant. Tu te trompes. Et puis l'amour n'existe pas. C'est une idée, une fixation, une cristallisation du désir.

Il a pris un ton de professeur. Il dissèque des idées qu'il retourne dans sa tête sans la regarder, sans l'écouter. La cendre de la cigarette se disperse dans la rafale, sur l'herbe. Le vent la fait frissonner. Elle a soudain peur de cet homme, de ce masque dur, de ce regard perdu dans ses pensées.

Comment lui faire comprendre ce qu'elle éprouve ? Comment lui faire ressentir ce qui la bouleverse à l'intérieur d'elle-même, une sorte d'élargissement du cœur, quelque chose qui fait éclore l'être, sans quoi le désir en effet, n'est que fixation. Comment lui faire voir cette lumière qui jaillit d'on ne sait où et emporte toujours plus loin ?

Elle s'est recroquevillée sur l'herbe qui s'assombrit à l'approche du soir, dans le vent qui souffle plus fort. Il est une ombre carrée qu'elle considère avec peur. Je dois m'approcher de lui, se dit-elle, essayer de lui communiquer par mon corps ce que toute ma tendresse, ma chaleur aimeraient lui montrer. Si les mots n'y parviennent pas, que ma chair se saisisse de cette flamme qui me brûle et fasse jaillir la sienne qui existe, j'en suis sûre.

Elle s'est transformée en petite boule qui roule vers lui. Elle coule, vogue, soulevée par le vent, éclairée dans la lumière éblouissante que déversent ses yeux agrandis, réverbérant une émotion qui monte en elle, de plus en plus vite, de plus en plus fort, à travers la peau, à travers les muscles. Elle frémit contre lui, forme obscure, tendue à son approche. Elle se fait caresse, douceur, et tendresse. Et la femme relâche une à une les fibres serrées par la raison, les angles noués par le calcul, le mur construit par la peur de laisser parler le cœur, plaie vive que d'autres blesseraient encore.

L'homme la regarde étonné et il se laisse progressivement couler en elle. Il s'incline devant la boule de flamme qui l'attire vers un rivage inconnu.

- Tu verras, tu verras la mer, lui murmure-t-elle. Navigons ensemble. Explore avec moi. Nous trouverons le point que tu appelles fixation, l'incendie que tu nommes cristallisation. C'est l'approfondissement de ceux qui s'aiment l'un dans l'autre, un puits de douceur et de beauté transformant l'être, un élan vers les autres. Tu trouveras le souffle de vie que le temps grossit, apprenant comment l'amour grandit.

L'homme se raidit à nouveau. Il ne peut accepter ce qu'elle tente de lui communiquer. Il se ressaisit, se durcit au contact de la femme. Il l'écarte, réflexe acquis dans l'enfance, lorsque, dans la cour de l'école, un camarade avait serré les poings, lui avait jeté à la figure : « Tiens, attrape ! » et qu'il s'était battu pour gagner, car il faut toujours gagner.

Il repousse cette femme agenouillée contre lui. Il a peur de ce sentiment nouveau que communiquent les pores de sa peau, son regard lorsqu'elle s'approche de lui, l'éblouissement qui l'arrête lorsque leurs yeux se croisent. Alors quelque chose en lui se débloque, le système qu'il a érigé par des années de réflexion et de concentration se défait, et ses pensées sont emportées dans un angoissant tourbillon.

Il prend la petite boule, femme prosternée contre lui, la tient à distance, fleur fragile qu'il craint d'écraser mais dont le parfum l'écœure.

- Viens, rentrons, dit-il. Demain, tu verras plus clair. Il faut travailler. Une longue journée m'attend, journée de travail et de responsabilités.

- Oui, il faut travailler, murmure-t-elle tristement. Il faut travailler, tisser avec patience le chemin qui conduit à la mer. Mais qu'est-ce qu'un travail, qu'est-ce qu'un chemin, qu'est-ce qu'une vie sans amour ?

Ils marchent dans l'herbe, pas séparés, mur qui vient de se dresser, silence qu'elle ne peut plus briser, transie qu'elle est par l'impossible communication. Ses pensées retournent à son passé. Elle avance dans la tempête qui l'enveloppe, l'emporte très loin dans la mer. Elle est arrachée par les flots. L'homme, resté sur le rivage, l'appelle de toutes ses forces, crie dans le bruit du vent et de la mer. Il tente de la rappeler, trop tard.

J'aurais pu, j'aurais pu vivre cet amour avec toi, mais tu n'as pas voulu. Tu me demandais des calculs, un échange d'intérêts. Tu voulais de moi une fin. Tu demandais que je prenne ce que tu prenais. Tu ne pouvais accepter un élan sans loi, regard sans frontières. J'ai entrepris un voyage intérieur pour tenter de t'expliquer.

Une autre fois, c'est un autre homme, dans un autre pays, mais c'est le même discours. Ils se promènent au bord de la mer. L'air est chargé d'intense luminosité. C'est en plein midi. Il demande :

- Pourquoi retournes-tu au Liban ? C'est incompréhensible, de l'extérieur, ce retour de Libanais vers un pays qui se ronge dans la violence, une destruction sans fin. Que pensent-ils pouvoir faire là-bas ?

La question l'avait d'abord surprise. Elle aimerait lui dire son étonnement qu'un Arabe regarde la situation libanaise extra-muros. Ne doivent-ils pas être tous concernés par le Liban comme d'un problème appartenant à tous les Arabes ? Elle sait qu'il veut une réponse logique, raisonnée, une explication positive sur laquelle baser des actes utiles. Ne lui a-t-il pas dit une fois :

- Investis ton pathos dans le travail. C'est très beau tes émotions. Ils ont un côté touchant tes élans, ta spontanéité, mais c'est peut-être dangereux pour toi. Il faut canaliser ton enthousiasme, il faut travailler, toujours travailler et se discipliner.

Les discours de ces deux hommes de son passé se mélangent, car combien les contenus se ressemblent ! De nouveau ces paroles la blessent. Elle sent une telle angoisse cachée sous cette rhétorique, une telle peur des élans du cœur et des sentiments. D'abord elle hésite, craignant de paraître superficielle dans ses réponses, mais aussi pour ne pas trahir sa pensée, tricher avec ce qu'elle ressent comme le centre de l'existence.

Sa réponse cependant jaillit, car le drame libanais la tourmente depuis qu'il a éclaté. Elle est déchirée par l'impossibilité de résoudre certains dilemmes :

- Mais un pays qui souffre est encore plus attachant. On veut l'aider, on partage sa détresse, on tente de lui apporter quelque chose. Je n'ai pas d'enfants, mais j'imagine qu'entre parents et enfants, c'est pareil. On s'occupe davantage d'un enfant malade. On esssaie de soulager sa peine. On supporte sa maladie parce qu'on l'aime. On craint qu'il ne se relève pas. On veut sa guérison, et on veille jour et nuit à son chevet.

Pour moi c'est un peu ça le Liban. C'est le pays de mon enfance et de mon adolescence. Je l'ai quitté parce que ses institutions m'étouffaient et m'empêchaient d'éclore en tant que femme à part entière. Je voulais choisir ma vie, qu'elle ne me soit pas imposée, délimitée par des restrictions. Depuis, j'ai réussi je crois, à m'affirmer, à maintenir d'une certaine façon, ma vision de femme libre et indépendante. J'ai réussi à le faire en y retournant et en vivant au sein de ses conflits qui me déchirent. Abandonne-t-on un pays parce qu'il est malade ? Au contraire, on essaie d'aider à sa guérison. La tâche est immense, et c'est là que tes conseils sont utiles. C'est là que ma souffrance doit se transformer en travail de reconstruction.

Il ne dit rien. Ils marchent dans le sable, dans la force du vent venant du large. Peut-il comprendre alors qu'il lui a avoué s'être séparé de sa femme à cause de sa maladie, parce que l'acte sexuel était entre eux devenu impossible ? Peut-il comprendre les actes d'amour gratuits, sans échange intéressé, sans calculs ? Elle le regarde. Il est tourné vers la mer, plongé dans une méditation profonde qui dessine des cercles de folie, lui permettant d'échafauder les théories de son langage créateur. Il paraît très loin, enfermé, lui aussi, dans un passé douloureux.

Elle se demande si elle parviendra à lui faire comprendre sa vision de la vie, des problèmes de la vie, et si cela lui apportera quelque chose. Il a pris l'habitude de se concevoir Homme-Créateur-Dieu, sa pensée à lui seul, compte.

Elle se souvient de leurs discussions sur Dieu et sur la foi. Il avait ironisé sur tout avec tant d'acharnement, qu'elle lui fit remarquer que quelque part, il devait être troublé, croire en quelque chose, peut-être même en ce Dieu qu'il veut à tout prix vaincre et tourner en dérision. Car pourquoi chercher à détruire l'inexistant ? Il s'était encore dérobé, et en chaque occasion il se moquait, piétinait toute la cohorte de ses souvenirs.

Elle comprend. Elle comprend la rage qui le pousse à s'attaquer, à détruire les institutions d'une société pourrie, patriarcale en son tréfonds : hommes de pouvoir, monarques-juges écrasant le peuple au nom de Dieu, pères abusant, battant et méprisant leurs enfants au nom de Dieu, maris frappant, violant, mutilant et répudiant leurs femmes au nom de Dieu, mères contrôlant, voilant, excisant leurs filles au nom de Dieu, riches volant les pauvres au nom de Dieu, au nom du Père, du Fils, du Saint-Esprit, au nom d'Allah le Tout-Puissant et Miséricordieux.

Comme elle se solidarise avec sa révolte, mais ne doit-on pas pousser l'analyse plus loin ? Comment peut-il se coire Dieu alors qu'il Le dit inexistant ? La destruction d'un pouvoir non remplacé par la négation du pouvoir pensé, élaboré, ne s'ouvrira-t-elle pas sur un pouvoir plus terrible encore ?

N'est-ce pas la notion de pouvoir-même qu'il faut remettre en question ? N'est-ce pas les rapports de pouvoir dans la société qu'il faut redéfinir, transformer, à commencer par soi-même et par sa relation aux autres ?

Elle aimerait lui dire qu'au lieu de s'acharner avec tant de violence contre ces Dieux, existants ou imaginaires, il vaut mieux chercher pourquoi des actes de grande générosité ont pu s'accomplir malgré et au-dessus de cet amoncellement d'institutions et de théories opprimantes et révoltantes.

Elle aimerait tellement lui dire tout cela, mais comme c'est difficile, alors qu'il lui tourne le dos, regardant la mer. Il a dressé un mur entre eux, une séparation tissée avec des mots et des théories qui placent la femme sous l'homme, au propre comme au figuré.

Elle voudrait lui parler, lui dire ces tourbillons qui la traversent, et tout ce qu'elle aimerait partager avec lui. Elle sent que c'est inutile. Il a construit entre eux une telle séparation que rien ne pourra les réunir, pas même la force du vent ou la beauté de la mer qu'il contemple, sur laquelle elle aurait aimé partir avec lui.

Elle se souvient de son passé. Elle revit les moments qui l'ont marquée, ce qui a compté et va tracer la trame de son histoire, le fil conducteur de sa découverte d'elle-même et des autres. Peut-être pourra-t-elle, par cette analyse, découvrir le sens de la tragédie de son pays ; peut-être arrivera-t-elle à la ligne de démarcation, à cette séparation absurde créée par la folie des hommes, ce monceau de ruines qu'il faut chercher à reconstruire. Comment le faire, sinon en comprenant d'abord les causes secrètes qui ont produit cette LIGNE ? Comment réunir les pôles extrêmes, sans aller vers la DEMARCATION ?

Il y a des années, elle avait assisté à une « party ». C'était à Chicago.

Elle est arrivée au bras d'un jeune homme blond aux yeux limpides et claires. Elle porte une robe très courte, plissée au dessus des seins, flottante comme les larges ailes d'un papillon multicolore. Son maquillage est très soigné : des cils tracés sous les yeux et sur les paupières donnent à son regard l'expression de l'émerveillement, de petites étoiles brillantes scintillent autour des lignes du mascara et sur ses pommettes saillantes. Son compagnon s'est appliqué et amusé à peindre son visage. Lui encore a cousu la robe créée de toute pièce dans son imagination toujours en alerte. Ses cheveux noirs, courts, frisés en permanente folle encadrent un visage encore très jeune et tendre.

Dans la pièce un rituel se prépare. Ici, une table est dressée avec soin : cristaux, argenterie, nappe brodée. Là, dans un coin qui sert de cuisine, une femme prépare le repas. Elle coupe en fines lamelles des légumes et des fruits exotiques. Son mari invite les nouveaux venus à un apéritif de sa composition :

- C'est ma recette pour la Margarita : beaucoup de Tequila, quelques gouttes de Triple Sec, beaucoup, beaucoup de citron et de citron vert frais ; tout cela bien frappé avec de la glace. Il sert le liquide vert doré dans de larges verres généreux dont le rebord a été trempé dans du sel. Il examine sa femme, qui le regarde en souriant. Elle porte une robe noire transparente.

Son corps est nu sous l'étoffe légère. Ses seins et les poils

11

de son pubis sont visibles. Elle se déplace d'une casserole à l'autre d'une manière provocante, consciente de l'effet. Son mari la regarde, observe les invités qui la lorgnent avec étonnement, désir et gêne.

- Après la Margarita, nous allons immoler le veau gras, déclare-t-il en soulevant les épaules et en ricanant. Les invités rient pour être dans le ton.

- Es-tu le veau gras ? demande l'un des invités, un jeune homme-fluet à la jeune femme-papillon. Il s'approche d'elle en la détaillant des pieds à la tête. Son sourire est plus sarcastique encore que celui de l'hôte.

- Sais-tu comment cela se passait au temps des sorcières ?

La jeune femme ne sait comment se dérober au jeune homme dont le regard et le ton la troublent.

- On prenait un mouton qu'on engraissait au milieu de la place du village pendant des semaines et des semaines de festivités. Puis on faisait venir les femmes soupçonnées de sorcellerie et on les faisait danser toutes nues autour du mouton. Lorsqu'elles étaient bien fatiguées, on égorgeait le mouton et on aspergeait les sorcières du sang de l'agneau immolé ; on prenait la queue grasse et bien dodue du mouton et on violait les femmes une à une au milieu de la place.

Le jeune homme ricane d'un air diabolique.

- Elle te plaît mon histoire ?

La jeune femme s'éloigne sans répondre. Elle rejoint son compagnon blond.

- Pourrions-nous nous asseoir de l'autre côté ? Je suis fatiguée.

Le jeune homme blond est lui aussi mal à l'aise. Il lui tend une cigarette, et ils vont s'installer sur une masse de coussins empilés au milieu de la pièce. Il semble très nerveux et joue avec des bagues anciennes qu'il porte à ses doigts.

La stéréo est haussée d'un ton. Une musique rythmée et chaude envahit la pièce : *Keep the faith, brother... One of these days you'll see the light... One of these days you'll sail over a black-blue sea... You'll reach the Eldorado... Just keep the faith.* La Margarita a commencé son effet, des éclats de voix et de rires fusent de partout.

- Nous pouvons passer à table, annonce l'hôtesse en

12

posant les plats. Elle indique à chacun une place soigneusement choisie. La jeune femme-papillon se trouve près du jeune homme-fluet. Son compagnon blond est en face d'elle. Son regard bleu et ouvert est perdu et très lointain. Pourtant il continue à détailler les invités. L'hôtesse se frotte contre lui en s'asseyant et en lui tendant un plat. L'hôte dévisage sa voisine, compagne du jeune homme-fluet, et plonge son regard dans le décolleté provocant de sa robe. Il lui verse du vin, « un français de France », un pur sang. Sa voisine est très gaie et boit le vin en regardant à travers le cristal.

Le jeune homme-fluet reprend son monologue qu'il tente d'adresser à tous :

- Je te disais qu'au temps des sorcières, on immolait aussi un veau gras...

Sa compagne, assise à côté de l'hôte, le reprend :

- Tu ne veux pas dire, chéri, que le veau gras date de cette époque...

- Bien sûr que non, affirme-t-il en la coupant. Il date de bien avant la Bible ; les Babyloniens et les Phéniciens pratiquaient déjà ce rite, mais pas à la manière du temps des sorcières. C'est ce que j'essaie d'expliquer à ma charmante voisine. Au temps des sorcières, la pratique de l'immolation fut très particulière.

- Il veut dire très cruelle et révoltante, ose dire la jeune femme-papillon en regardant son compagnon qui lui sourit d'un air encourageant.

- Oui, oui, bien sûr, répond le jeune homme-fluet. Mais ne faisons pas de sentimentalité, les révolutions ne se font pas avec des sentiments. L'histoire nous l'apprend, elles se font dans le sang... Pour en revenir aux sorcières, c'étaient des femmes étonnantes... un peu comme toi, confie-t-il à l'hôtesse assise à côté de lui et à qui il passe le plat de légumes.

L'hôtesse se rengorge et lui renvoie le compliment :

- Tu veux dire qu'elles faisaient bien la cuisine ? Mais je suis sûre qu'elles ne la faisaient pas aussi bien que toi.

L'hôte remplit à nouveau les verres et lève le sien :

- Je propose que nous portions un toast en l'honneur de ma femme, de sa délicieuse cuisine et du veau gras que nous immolerons ensuite. Tous les invités lèvent leur verre, sauf la femme-papillon. Elle regarde son compagnon blond qui a machinalement imité le geste des autres.

- Tu n'es pas de bonne humeur, allègue le jeune homme-fluet à la femme-papillon. Pourquoi fais-tu cette tête ? et il cogne son verre contre celui de la jeune femme. Allons, allons, bois avec nous à la santé de tous.

La jeune femme-papillon lève son verre.

- Buvons à la révolution, proclame-t-elle en le vidant d'un trait.

C'est le moment du dessert. L'hôtesse a apporté des fraises et de la crème Chantilly. Le jeune homme-fluet lui remplit son assiette de crème et place une fraise au sommet de la montagne blanche.

- C'est ton sein, murmure-t-il à l'hôtesse qui rit devant l'image si bien ébauchée. Elle entre dans le jeu et découvre coquettement son sein déjà visible. Le jeune homme se penche vers elle et prend le mamelon dans la bouche.

- C'est meilleur qu'une fraise, atteste-t-il.

Autour de la table, le ton est devenu très gai. L'hôte apporte une cigarette de marijuana qui passe de bouche en bouche. La jeune femme-papillon regarde son compagnon envolé vers le nirvana. Elle a peur d'être submergée par la vague de folie qui s'empare rapidement des invités. Elle voudrait rentrer chez elle. Elle contemple la scène au travers d'une brume lointaine et irréelle.

L'hôtesse se met au milieu de la pièce et danse. Ses mains et ses pieds battent un rythme syncopé. Son corps nu sous la popeline ondule. Ses hanches et son sexe décrivent des cercles, des demi-cercles, un va-et-vient de désir et d'invitation. La compagne du jeune homme-fluet entre, elle aussi, dans le jeu. Elle tournoie en se déshabillant lentement.

- Il nous faut le veau gras, annonce l'hôte. Qui sera le veau gras ?... le veau gras, c'est l'innocent, celui qui se laisse immoler pour que les autres vivent.

Il s'approche du jeune homme-blond :

- Ce sera toi, décide-t-il en éclatant de rire et en le tirant au milieu de la pièce.

Les femmes accentuent leur danse autour du jeune homme. Leurs gestes sont devenus obscènes. La femme-papillon observe le spectacle, puis fixe son compagnon blond

14

qui semble ignorer ce qui se passe, inconscient de l'endroit où il est. Que faut-il faire ? Où aller ? Comment l'arracher à cette folie ? Comment le soustraire à cette démence ?

Les hommes se sont joints aux femmes et se tortillent en regardant de son côté, lui faisant signe de se mettre de la partie. « Je ne peux pas le laisser tout seul », se dit-elle. Elle entre dans le cercle et se penche vers son compagnon :

- Partons, ordonne-t-elle. Ne restons pas ici, je t'en supplie. Ce qui se prépare est malsain.

Il ne lui répond pas. Il est très loin, dans un monde qui lui est fermé. Elle le tire par la main de toutes ses forces, mais il résiste. Alors elle enfouit sa tête contre sa poitrine et pleure. Elle tente de lui communiquer sa tendresse. Elle tente de le faire entrer dans son monde à elle. Mais il ne bouge pas. Il ne fait pas un geste de rapprochement. Les autres se moquent d'eux. La mélodie lancinante est revenue : *Someday, you'll see the light, brother. Someday, you'll walk over a black-blue sea.* La femme s'agrippe à l'homme. Elle tire de toute la force de sa faiblesse. Elle essaie de l'arracher à cette folie. Elle tire et elle tire, mais il résiste.

Les autres nus, balancent leurs corps dans un rythme lourd et violent. Les corps sont chauds et dégoulinent de sueur. L'atmosphère respire une sexualité cruelle, où les larmes n'ont pas de place, où la tendresse est refoulée parce qu'incompatible avec l'acte qui se prépare.

Les hommes s'approchent du jeune homme blond et commencent à le déshabiller. Il se laisse faire. Il ne réagit pas. Il se laisse aller comme un être totalement dénué de volonté. Les femmes s'approchent de la femme-papillon et tentent de la déshabiller. La femme se débat et crie. Elle s'arrache au cercle, s'enfuit dans un coin. Elle aperçoit le drame au travers d'un brouillard, dans un cauchemar.

L'hôte apporte un couteau de cuisine et une bouteille de vin rouge. Il asperge le jeune homme-blond du liquide rouge et épais. Les femmes se tordent dans un rire hystérique. Le jeune homme-fluet saisit le sexe du jeune homme-blond dans ses mains. Il le pèse, le tâte, le caresse. Le jeune homme-blond n'a pas bougé. L'hôte prend le couteau et tranche le sexe d'un coup sec. Le sang coule à flots. La soirée atteint son apogée, orgasme collectif. Les femmes hurlent de joie.

Le jeune homme-blond s'évanouit. La musique a noyé les cris.

La femme-papillon a fixé la scène. Elle pense vivre un horrible rêve. Elle a peur de s'évanouir elle aussi et d'être la prochaine victime. Elle avise la porte qui n'est pas loin. Il faut fuir. Elle profite de l'euphorie générale, ouvre la porte et dévale les escaliers quatre à quatre. Il fait froid. Elle a abandonné son manteau. Elle ne peut pas y retourner. Elle frissonne et court. Elle court et vole à travers la plaine couverte de neige. Le vent souffle et elle trébuche. Elle a peur d'être suivie. Les flocons l'entourent d'un nuage blanc et cotonneux. Le sol est rouge-sang. Elle crie, hurle à travers la plaine. Elle court et crie.

Le jeune homme se réveille dans sa petite maison verte et silencieuse. Une lourde enveloppe de neige couvre toit et bords des persiennes. Un vent glacial souffle. La neige est dure, résiste à cette force qui veut l'entraîner vers l'infini. Le jeune homme ressent une douleur terrible, lancinante dans son bas-ventre. Il a très mal, n'ose pas bouger. Il tangue entre vie et mort pendant des jours et des nuits. Il ne sait pas s'il est heureux de sentir encore son sang couler dans ses veines comme par le passé, la vie affluer à nouveau dans ses membres. Il se demande s'il n'aurait pas préféré rester dans un demi-sommeil éternel, où toutes les questions ont des réponses, où tourbillonnements et vagues furieuses trouvent le centre qui les réconcilie.

Il revoit la scène des jours précédents : le dîner exotique arrosé de vin couleur sang, le snobisme de la conversation où il s'était senti mal à l'aise, déplacé, incompris, les fumées de marijuana qui avaient surmonté sa timidité et son angoisse. Il s'était vu dans un pays neuf et merveilleux, roulant infiniment sur un nuage rose, les sens apaisés par l'alcool et la drogue, les yeux éblouis par la beauté des habitants. Il revoit sa compagne, ils s'étaient souri. Rien d'autre n'avait existé que ce sourire qui le rattachait à la réalité, qui créait un pont entre le monde imaginaire et la vie quotidienne. Le sourire qu'il lui avait rendu cherchait à dire : « Je t'aime, rien d'autre n'a d'importance. Je ne suis pas assez fort pour toi. J'en souffre. Mais mon amour est une force dans la faiblesse même de cette constation ». Elle avait levé son verre à la révolution et elle s'était transformée en homme, femme-historique, femme marquant son temps. Elle s'était convertie en déesse-lune, métamorphosée en dieu-soleil, grands yeux noirs subitement durs, bouche sévère, menton carré, et il avait reculé à l'intérieur de lui-même : « Je ne peux pas t'apporter ce que tu veux, tu me fais peur. Tu existes pour ton temps, tu t'accomplis pour ton peuple, tu te réalises là où je n'existe pas ». Il s'était senti entraîner dans une marée de folie qui l'effrayait, mais calmait ses sens et l'emportait dans le monde intérieur qu'il avait créé, étranger à la réalité, aux mesquineries et méchancetés du monde qui l'entourait.

Il flottait dans le nirvana, sons et couleurs pénétraient sa peau, les visages le regardaient avec bonté. Les femmes s'étaient mises à danser avec leur corps, leur ventre, leur sexe et on l'avait arraché à la somnolence pour le placer dans un cercle où il était pris au piège, et dominé.

Il savait qu'on allait l'immoler et appelait cette souffrance de son corps et de ses sens. Il avait aperçu le couteau, et le sang-vin. Il avait observé sa compagne prostrée près de lui, grands yeux noirs remplis de larmes, suppliant de partir, de franchir le mur de la séparation, de traverser le monde-ville pour retrouver l'amour. Il n'était déjà plus avec elle. Il avait choisi de marquer lui aussi son temps par un sacrifice qui calmerait ses sens, lui permettant de vivre authentiquement.

Il était sur une île entourée de sable et d'eau. L'île était partagée en son milieu par une démarcation imaginaire et réelle, construite par la folie et la haine des hommes. Les habitants de chacun des deux côtés se battaient, avaient dressé des murs lézardés, criblés de balles, éclatés d'obus. Des femmes nues dansaient au centre, insouciantes du danger des balles, planant dans l'euphorie, envoûtées par le rythme de la guerre. Il était happé par le centre du cercle, la ligne de démarcation, le cœur de la ville, le médian de l'île, le mélange de musique et de danse des femmes.

Il était porté dans le tourbillon des vagues et du rythme. A ce point, à cette croisée des routes, il avait été sacrifié, écartelé, castré, contact de la lame glaciale sur le sexe, douleur terrible. Il s'était évanoui dans son sang, appelant la mort, demandant la réconciliation.

La jeune femme s'approche de lui. Elle lui caresse le front, lui sourit. Il tente de répondre à son sourire, un rictus de douleur s'ébauche dans la pâleur de son visage. Seuls, ses yeux brillent encore de leur éclat passé.

- Je ne pourrai plus faire l'amour, jette-t-il désespéré.

- Tu veux dire que tu ne pourras plus faire l'acte sexuel, tel qu'il a été conçu dès le début des temps, à travers cultures et civilisations, tel qu'il est décrit dans les mythes et les religions. Tu veux dire que tu ne pourras plus me pénétrer comme te l'as appris la mémoire du temps. L'amour, est-ce cela ? La manifestation de l'amour est-elle la pénétration, l'agression de l'homme qui défriche son jardin ?... Elle continue sur ce ton passionné alors que déjà il a fermé les yeux sur ses larmes :

- L'amour est ailleurs. Il faut le découvrir, le redéfinir. Tu as été sacrifié. La société t'a choisi, parce que sensible, homme tendre et généreux, tu as en toi la possibilité de vivre autre chose. Ne pleure pas mon chéri, ne pleure pas. Ou plutôt, pleure, pleure, car, toi et moi, nous allons vivre autre chose. Tu es le soleil de demain. Tu es l'homme qu'on a tenté de castrer, car tu es le non-détruit, attendu pour recomposer la société, remodeler les rapports amoureux, avec une tendresse fondée sur la connaissance intégrale du corps de l'autre, estime mutuelle et partagée, sans agressivité et sans violence.

Elle le regarde longuement avec tendresse. Il n'est déjà plus là. Ses yeux se sont fermés sur sa douleur, sur sa blessure.

Les jours et les nuits se succédèrent. La neige ensevelit la petite maison verte, coupée du reste du monde. Le vent souffla pendant des jours et des nuits. Parfois, il s'arrêtait et la neige tombait avec une densité inconnue de la plupart des habitants de ce pays transformé en grand cimetière blanc. La jeune femme fit des feux dans la cheminée pour réchauffer la maison et lui rendre la flamme nourricière. Le jeune homme se remettait lentement.

Quand il se leva, il se mit à peindre avec frénésie. Il créait, composait, peignait sans arrêt. Parfois, il s'effondrait de fatigue et s'endormait d'un sommeil lourd et agité. Au réveil, il se remettait à peindre rongé par la démence. Ses toiles étaient rouges et violettes. Il peignait la guerre, il peignait le sang. Il représentait des sexes d'hommes déformés, des sexes castrés, des sexes agressifs et des sexes atrophiés. Il reproduisait des corps qui se cachaient et des formes qui s'envolaient, des corps qui dansaient et des membres qui nageaient - procession d'organes et de sexes criant, appelant, cherchant, marche d'anatomies d'hommes et de pénis écrabouillés et rouges, couleur sanguinolante de violence et de haine.

Les yeux du jeune homme devinrent hagards. Une folie s'empara de lui. Les toiles s'accumulaient contre le mur de la chambre qui se rétrécissait. De temps à autre, il sortait de la transe. Il allumait une bougie et regardait ses toiles. Il souriait à sa compagne et fixait, au delà de la fenêtre, un point lointain de hantise.

Un jour, il éclata de rire. Ses éclats résonnaient dans la maison - rire dément, saillies qui allaient de l'aigu au grave, claquant par saccades. La jeune femme accourut. Elle vit son compagnon, assis sur le lit, un pinceau à la main, riant de toutes ses forces. Il examinait la toile. Elle regarda, elle aussi, la peinture, et fut saisie.

Les tons étaient plus pâles que d'ordinaire : des mauves, des roses et des verts tendres s'entremêlaient, allant du centre à la bordure, formant une série de scènes et de danses érotiques. Au cœur du tableau, une femme voilée cachait son visage avec ses mains. Son corps était nu sous le voile et son sexe se prolongeait d'un énorme pénis rouge. Le pénis et la femme ressemblaient à un oiseau égorgé, oiseau nageant dans son sang à la croisée des chemins.

- Je dois partir, lui dit-elle. Je dois retourner dans mon pays. Pourquoi ne viens-tu pas avec moi ?

Il la fixe un long moment, le regard perdu, tourné vers lui-même, étonné de ce qu'elle demande. Elle s'approche

20

de lui, lui prend la tête dans les mains, essayant de le ramener à elle et à ce qu'ils ont vécu ensemble.

- Tu verras, ce sera comme avant. Nous reconstruirons. Nous raccommoderons. Nous redonnerons aux ruines la vie. Nous ferons jaillir l'eau des terres arides. Nous replanterons les vignes saccagées. Nous arroserons la ville de notre amour. Le sang de tes blessures se métamorphosera en couleurs nouvelles. Nous couvrirons les murs d'oiseaux, d'arbres et de fleurs. Tu n'auras plus mal. Toi et moi, nous montrerons les liens de l'amour réel, une tendresse tissée sur la compréhension, la communication, sur le langage de sensualité, éloigné des forces de pouvoir, de destruction, de conquête, de vengeance et de jalousie. Viens, partons ensemble. Retournons vers notre passé qui sera notre futur. Ne reste pas ici, dans cette société qui t'a choisi comme brebis expiatoire, dans ce pays qui t'a sacrifié parce qu'il se sait coupable de toutes les atrocités commises en son nom, et parce qu'il refuse de se regarder en face.

Ses yeux se voilent de larmes. Il ouvre la bouche comme pour dire quelque chose. Elle croit qu'il l'a écoutée, qu'ils repartiront ensemble. Mais il se dégage de ses bras sans rien dire. Il lui tourne le dos, s'approche de la fenêtre regardant le paysage morne enseveli sous la neige.

Elle fit ses bagages, pensant qu'il la suivrait. Elle pressa ses vêtements entre les siens, mélangeant aussi leurs corps parmi les tissus.

Mais il s'approche de la valise, enlève tous ses vêtements, les repend dans l'armoire. Elle le regarde avec tristesse, espérant qu'il dirait quelque chose, qu'ils reprendraient les longues conversations qu'ils avaient autrefois, quand ils échafaudaient des projets d'avenir - ce que serait leur vie. Quand, sur le balcon de leur appartement de Beyrouth, ils avaient compté les étoiles, suivant des yeux celles qui filaient dans l'espace, s'évadant avec elles. Rien ne les retenait alors. Leur horizon était libre, dégagé des conventions qu'ils avaient fuies.

Mais il ne parla pas. Il n'avait pas dit un mot depuis de nombreux jours et de nombreuses nuits. Le silence pesait sur elle comme la neige s'alourdissant sur la terre gelée et inerte.

Nour a ouvert la porte sur la rue. Vis-à-vis, un pan de la maison est écroulé. Les fenêtres sont noires, ce qui reste des murs est criblé de balles. La haine des propriétaires d'armes et d'engins de mort s'est acharnée avec violence sur ce secteur de Beyrouth. Nour a peur, mais elle sait qu'elle doit aller de l'autre côté de la ville, si elle veut éviter que la maison ne s'écroule sur elle et sur son enfant.

Maintenant, la rue est silencieuse. Même les chiens se sont tus. Depuis huit jours et huit nuits, les tirs se répondaient sans répit. Le fracas des obus grondait comme le tonnerre. Un vent démoniaque soufflait sur la ville.

Accroupie avec Raja au centre de la maison, Nour avait attendu. A toute accalmie, elle se précipitait dans la cuisine pour chauffer un peu de lait, pour rapporter un fruit ou du pain à l'enfant terrorisé qui gémissait sur le sol.

Il y eut une forte détonation. Elle crut que c'était la fin, que tout s'écroulait sur eux. L'enfant avait hurlé pendant très longtemps, à l'unisson des chiens dehors. Puis tout s'était tu. Le silence qui suivit était inquiétant. Que se préparait-il ? Quels engins de mort allaient encore pleuvoir ?

Ils avaient attendu pendant de longues heures, serrés l'un contre l'autre sous la table, se communiquant chaleur et réconfort. Nour avait un frère de l'autre côté de la ville. On disait que là, c'était plus calme, qu'il n'y avait pas de combats, qu'on pouvait marcher dans les rues, que chrétiens, musulmans et druzes se côtoyaient comme par le passé. Il fallait traverser la ville, essayer de rejoindre son frère pour que l'enfant cesse de trembler, et qu'ils puissent de nouveau respirer, bouger, vivre.

Elle rassemble quelques objets dans un foulard, quelques fruits dans un panier. Raja s'est accroché à elle et gémit. Elle le prend dans ses bras et le berce :

- Nous y arriverons, tu verras. Ne pleure pas ! Ce soir, nous serons de l'autre côté. Tu pourras jouer avec tes cousins et cousines.

Elle a besoin de se convaincre qu'ils réussiront, que la rue pleine d'embûches ne les ensevelira pas, qu'ils traverseront la ville divisée, écartelée et détruite, sans être atteints par la mort qui rode partout.

Elle saisit Raja par la main et l'entraîne dans la rue, sans se retourner, sans hésiter. Il faut parvenir avant la nuit. Il n'y a pas une minute à perdre. L'enfant a compris. Il marche vite, sans se plaindre. Sa petite main serre celle de sa mère avec force.

Les deux corps longent les murs lézardés de peur et de sang. La puanteur fétide des cadavres putréfiés emplit la rue, complètement déserte - pas un chien, pas un chat pour les rassurer, maisons effondrées, murs abattus, fenêtres incendiées, cadavres jonchant les trottoirs. Elle voudrait couvrir de ses mains les yeux de l'enfant, qu'il ne voie pas cette horreur qui le marquera pour toujours. Cette rue qui avait été heureuse - enfants en tablier d'école, petits marchands poussant leurs charettes couvertes de fruits et de légumes multicolores - est devenue un charnier, spectacle de désolation et de terreur.

Elle avance frôlant les murs, tirée par une force invisible, guidée par le besoin de survie. Le silence est pesant. Par quel miracle, fusils, mitrailleuses, roquettes, se sont-ils tus ? Elle bifurque et débouche sur une rue moins touchée. Ici les combats ont été moins meurtriers. Les maisons sont encore debout, fissurées, trouées de balles, mais encore debout. Un léger mouvement au fond de la rue, c'est la boulangerie. Des gens achètent du pain, prévoyant le prochain affrontement. Ce mouvement rassure la femme. L'enfant, lui, est fatigué. Elle le prend dans ses bras, le porte.

Soudain, le ciel change. Des avions sifflent au loin,

oiseaux noirs, augure de malheur. Le ciel bleu se fait d'encre. Le mouvement au fond de la rue, s'arrête. Les gens se précipitent chez eux, se jettent par terre. L'enfant frémit. La femme a peur. Elle n'a que le temps de se faufiler dans une porte et de se blottir contre un mur. Des explosions jaillissent de tous côtés, les cris des enfants et des femmes se mêlent aux bruits des sirènes et aux détonations anti-roquettes et anti-aircrafts.

Raja à nouveau, tremble. Un tic nerveux déforme son visage. Nour tente de le bercer. Elle est agitée. Elle ne parvient pas à maîtriser les battements de son cœur. Arriveront-ils de l'autre côté, se demande-t-elle avec angoisse ? Réussiront-ils à franchir la ligne de démarcation qui coupe la ville en deux, le no-man's land, empire de la terreur, de la destruction et de la mort ? S'ils échappent à cette attaque aérienne, comment franchiront-ils la ville si périlleuse ?

Très longtemps, accroupie contre le mur, n'osant pas bouger, elle est traversée par un chaos d'interrogations et de peur. Raja s'est calmé. Il lui prend la main et la guide vers l'intérieur. Ils entrent dans une pièce sombre, encombrée de meubles et d'ustensiles de cuisine. Toute une famille est là, aux aguets, tapie à même le sol?

- Entre, entre ! crie une femme. Viens t'abriter sous la table.

- C'est la fin, dit un homme. Les avions ne reviendront plus pour un moment. Où vas-tu comme ça avec ton enfant ?

- J'essaie de rejoindre mon frère, de l'autre côté. On dit que là-bas, jusqu'à présent, il n'y a pas eu de combats, que la vie continue normalement. Je viens du quartier voisin. C'est un miracle d'être encore en vie.

- Oui, on dit que plus une maison n'est debout et que les cadavres jonchent les rues.

Au mot de cadavres, Nour tressaille. Son visage se voile. Elle revoit ces corps mutilés - mains arrachées, sexes coupés, jambes crucifiées - jetés sur la route et le trottoir gluant de sang. Elle veut oublier, ne plus les revoir. Si elle y pense encore, elle s'effondrera.

- C'est affreux, une horreur sans nom ! confirme-t-elle. Vous devez partir aussi.

- Pour aller où ? Quitter notre maison ? Jamais ! Nous

ne ferons pas comme les Palestiniens qui ont tout perdu, parce qu'ils sont partis. Ils n'auraient pas dû quitter la Palestine. Nous résisterons, même si tout le monde est contre nous.

- Reste avec nous, dit la femme, au moins pour ce soir. La nuit va tomber. Tu n'atteindras pas l'autre bord. Je vais préparer à manger. Nous mangerons ensemble. Vous dormirez ici, demain tu repartiras.

- Nour voit que Raja a faim, qu'il est fatigué. Elle sait que, la nuit tombée, la ville est encore plus dangereuse. Alors les vengeances éclatent. Il vaut mieux accepter l'invitation pour une nuit.

- Nous resterons pour la nuit, dit-elle à ses hôtes, et à l'enfant qui joue déjà avec ses nouveaux compagnons. Et elle s'approche de la femme pour l'aider à préparer le repas du soir.

- Depuis plus d'une semaine nous ne trouvons ni légumes ni viande, dit la femme. Mais j'ai des lentilles et du riz. Nous avons acheté du pain pendant l'accalmie. Veux-tu frire l'oignon ?

Nour s'installe dans un coin. Elle coupe l'oignon en fines lamelles, comme des ailes de papillon. L'odeur de l'oignon frais et de l'huile qui chauffe lui redonne du courage.

Des hommes sont entrés dans la pièce et discutent avec le maître de la maison.

- Les avions ont bombardé les camps, dit l'un d'entre eux. Il y a beaucoup de morts et de blessés, surtout parmi les femmes et les enfants.

- Ils n'ont qu'à crever, dit un autre. Si nous ne les avions pas reçus et aidés, nous n'en serions pas là.

- Tu te trompes, Farid, déclare l'homme de la maison. Tu n'as pas remarqué que les avions venus du Sud bombardent toujours quand se terminent nos disputes. Pourquoi ? Y as-tu réfléchi ? Ils veulent nous diviser. Ils ont toujours cherché à nous fractionner. C'est ce qui fait leur force. Notre guerre civile renforce leur puissance. Nous avons tort d'entrer dans leur jeu.

- Je suis d'accord avec Farid, intervient un autre. Nous leur avons ouvert les bras comme aucun autre pays ne l'a fait. Ils nous ont poignardés dans le dos dès qu'ils ont pu.

A la première excuse, ils se sont retournés contre nous. Et maintenant, ils attendent de nous égorger pour prendre notre place et continuer leur lutte depuis notre sol.

- Non, poursuit l'homme de la maison. Regardez les faits et vous comprendrez mieux. Vous ne tomberez pas dans le jeu du véritable ennemi.

- Les véritables ennemis sont les Américains et les Russes, affirme un autre. Ils règlent leurs comptes dans notre pays. Ça leur est facile : payer tel groupe ou telle faction, donner des armes tantôt ici et tantôt là, puis s'en laver les mains. La guerre ne les atteint pas. Ils peuvent ainsi bazarder leurs armes et leurs munitions et faire tourner leurs usines.

- Oui, mais nous jouons leur jeu, ajoute l'homme de la maison. Pourquoi acceptons-nous d'entrer dans leur stratégie ? C'est la véritable question qu'il faut se poser.

Nour a envie de se mêler à la discussion, de dire à l'hôte de pousser plus loin encore son analyse, de découvrir au fond de lui ce qui lui fait prendre une mitraillette pour tuer un voisin, un frère, ou un étranger. Mais c'est un territoire fermé pour elle. Ce monde des hommes lui est interdit, comme il est défendu de traverser la ville. Pourquoi n'a-t-elle pas le courage de prendre la parole, de se frayer un passage à travers le mur sexuel dressé entre elle et les hommes, alors qu'elle a décidé de franchir la ville ? Est-ce plus difficile de surmonter cette coupure-là, se demande-t-elle ?

Elle a fini de couper les oignons. Elle les fait glisser dans l'huile verte-dorée qui crépite doucement. Elle remue les lamelles pour les séparer et les laisser brunir. Elle est réconfortée près de la flamme et de la nourriture qui se prépare. La femme de la maison brasse le riz et les lentilles dans une grosse casserole. Nour absorbe cette atmosphère qu'elle avait oubliée dans le vacarme de la mitraille. La cuisine exhale un souffle de vie. Elle se sent renaître auprès de cette femme affairée à son riz.

Soudain, des cris retentissent dans la pièce voisine. Nour se précipite. Les enfants jouent à la guerre. Ils sont rangés en deux parallèles qui s'affrontent dans des attitudes agressives. Raja est couché par terre, bras en croix. Il fait le mort, comme les cadavres dans la rue. Elle revoit l'enfant qu'ils

27

ont enjambé dans leur course, un enfant gris de peur et de mort, baignant dans son sang. Le souvenir est insoutenable. Elle hurle comme folle à cette vision qu'elle cherche à oublier. Elle relève l'enfant et le serre contre elle.

- Pas cela, non, non ! Ne joue pas à ce jeu. Trop d'enfants grandissent en imitant les grands qui se battent. Plus tard, ils croient encore jouer quand ils font la guerre.

Les hommes se sont arrêtés. Ils observent la scène. Certains ricanent :

- Elle en fait une femmelette. Voilà pourquoi nous n'arriverons jamais à gagner la guerre.

L'hôte s'est approché de Nour. Il prend l'enfant dans ses bras :

- N'effraie pas ta maman, dit-il à l'enfant. Il demande aux autres enfants d'arrêter le jeu.

La femme de la maison entre avec un grand plat de lentilles au riz couvert d'oignons croustillants :

- Va chercher le pain et l'eau, ordonne-t-elle à sa fille aînée.

Elle pose le plat sur une natte par terre, au milieu de la pièce :

- Nous mangerons avec le pain. Il n'y a pas d'eau pour la vaisselle.

Les voisins sont invités à partager ce qu'il y a. Quelques uns partent, d'autres restent et se groupent autour du plat. Les enfants se sont rapprochés. Chacun prend un morceau de pain, le creuse en petite pelle avec laquelle il saisit un peu de riz, de lentilles et d'oignons. La gargoulette remplie d'eau fraîche passe de main en main, de bouche en bouche.

Nour se sent lourde et fatiguée. Elle a hâte de se reposer pour pourvoir repartir tôt le lendemain. Il faut trouver assez de force pour traverser la ville. Raja à côté d'elle, dévore avec avidité. Il semble gai et insouciant. Les autres enfants avalent aussi goulûment. Bientôt, ne restent plus sur le plat que quelques grains de riz et de lentilles mêlés. La femme de la maison s'essuie la bouche et ramasse le plat.

- Je vais faire le café. Demande qui en veut, dit-elle à sa fille aînée.

Les hommes se sont installés dans un coin et continuent de discuter en fumant.

- Tu sais ce qui est arrivé au voisin ? demande l'un d'eux.

- Qu'a-t-il pu lui arriver de pire que cette pluie d'obus, de bombes et de balles qui tombe sur notre tête depuis plusieurs jours ? interroge l'autre.

- Les bombes, les obus et les balles, ce n'est rien comparé à son histoire, reprend le premier.

- Raconte, raconte, réclament les autres. Ils se calent dans les coussins et tirent sur leurs cigarettes.

- Il avait vendu sa voiture dans l'après-midi. Les banques étant fermées, il rapporte tout l'argent chez lui jusqu'au lendemain. Le soir, un homme armé et masqué frappe chez eux. Il réclame l'exact montant que l'homme a. Le voisin refuse, disant qu'il n'a pas une telle somme. L'homme armé insiste. Il braque son fusil. Pendant qu'ils parlaient, l'un des fils est allé prendre le revolver et, derrière le père, il descend l'homme armé.

- C'est bien fait, s'exclame l'un des assistants.

- Cela servira de leçon aux autres, ajoute un autre.

- Je n'ai pas terminé mon histoire, dit le premier. Savez-vous qui était derrière le masque ?

- Celui qui avait acheté la voiture, propose l'un des invités.

Les autres se taisent, avertis par trop d'histoires horribles pour faire la moindre hypothèse. Le silence devient pesant.

- C'était un autre fils du voisin. Le frère avait tué son propre frère.

Les mots éclatent comme une bombe. Le silence est insoutenable. Ceux même qui d'habitude ont réponse à tout, sont plongés dans le mutisme. Ils se tassent contre les coussins.

- Je vous l'avais dit, mes frères, prononce l'homme de la maison. L'ennemi est parmi nous. Il est nous. Nous l'avons engendré, créé de nos propres entrailles.

Nour s'est retirée dans un coin. Elle médite douloureusement. Elle pense à son fils. Qu'adviendra-t-il de lui ? Comment grandira-t-il dans ce monde de haine et de folie, d'actes incompréhensibles ? Tout à l'heure, il a joué au mort. Il a préféré le rôle du cadavre à celui du tueur. Même si les autres n'ont pas compris, tant pis ! Peut-être a-t-il retenu quelque chose de ma façon de vivre et de l'élever. Mais je veux qu'il vive ! Je ne veux pas qu'il joue au mort. Comment lui communiquer le goût de la vie hors de l'agression ? Comment lui apprendre à se défendre sans tuer ? Et surtout, surtout, comment rendre un sens à sa vie après tout ce qu'il a vu ?

Nour s'est endormie sur le tapis, son sommeil est agité. A côté d'elle, l'enfant s'est recroquevillé, rassuré par le corps de la femme. Même quand elle bouge et soupire, lui dort d'une respiration régulière. Ses mains sont posées sur les seins de sa mère. Il y puise un sentiment de vie.

Dans ses cauchemars, la femme cherche à atteindre une mer paisible et transparente. Elle court dans une plaine de canons et d'obus. Sa longue robe de voile entrave sa course. L'enfant accroché à son cou est lourd et la mer est très loin. Elle franchit des villages saccagés, des maisons effondrées sur des cadavres de femmes et d'enfants.

Une femme sort d'une maison. Elle porte comme elle, une longue robe et un enfant accroché à son sein. Elle hésite avant de prendre son vol. Elle court, court dans la plaine, trébuche sur les cailloux, s'écorche aux épines. Soudain, un coup de feu éclate, l'enfant tombe sur le chemin. Il a été touché. Ses petites mains se raidissent et son visage se tord de douleur. La femme s'arrête. Elle s'agenouille sur la route. Elle masse son enfant, l'arrose de ses larmes, tente de lui communiquer sa propre vie. L'enfant déjà est bleu de mort. Une autre balle déchire l'espace, atteint la femme en plein cœur. Elle s'effondre sur son enfant, pliée en deux. Une autre balle fait éclater son crâne.

La femme qui courait vers la mer, regarde le drame. Elle cherche une issue, une autre route, un autre chemin. Elle tourne à l'angle d'une maison en ruines. Elle trébuche sur le cadavre d'une petite fille noyée dans son sang, les yeux grands ouverts de peur. Elle longe les murs des maisons, évite le milieu de la rue, pour ne pas être la cible de la folie et de la haine.

Elle arrive dans un village étrange - maisons grises, fenêtres vertes et bleues - comme si la mer avait pénétré la désolation. Des monstres - animaux aux corps longs et visqueux, portés par mille pattes - sortent des lézardes. Des insectes noirs et velus surgissent de chaque trou des murs percés par les balles. Une vie grouillante et fiévreuse semble naître des cendres, jaillir d'un monde souterrain.

La femme regarde à l'horizon. Elle aperçoit la mer qui brille, paisible et accueillante. Elle roule sa robe sur ses genoux, y fait un nœud. Ses jambes sont couvertes de poussière et de sang. L'enfant a ramassé un lézard. Il joue avec, le fait courir sur ses bras et dans ses mains. Il lui parle dans une langue étrange.

Soudain, des avions envahissent le ciel. Les monstres grouillants disparaissent dans les trous. Le lézard fuit. L'enfant le poursuit, cherchant à l'attraper. La femme a peur. Elle appelle son enfant, se précipite à sa suite. Il disparaît, lui aussi, dans une crevasse. La femme crie, hurle, appelle.

Nour se réveille, moite de peur. L'enfant contre son sein, n'a pas bougé. Une lueur pâle filtre des fenêtres. Un coq chante quelque part. C'est le matin, un petit matin gris et triste. Nour pense à la journée qui l'attend : traverser la ville, le pont de la mort, la ligne de démarcation qui coupe la ville, rejoindre son frère de l'autre côté. Elle est angoissée, fatiguée d'un mauvais sommeil, effrayée par ses cauchemars.

Namjé sort péniblement du lit. Elle est courbaturée et lasse. D'énormes cernes creusent ses yeux. Fébrilement, elle ramasse le paquet de cigarettes jeté au sol la veille. Les doigts jaunis par la nicotine ont de la peine à faire craquer l'allumette. Elle aspire la fumée à pleins poumons et se réveille petit à petit. Soudain, une douleur la saisit à l'estomac et elle n'a que le temps de se précipiter au lavabo. Elle vomit. Elle crache, elle crache. Elle est secouée de spasmes et se tord.

- Il me faut un fix, se dit-elle, en regardant son petit visage émacié dans la glace. Il me faut absolument un fix aujourd'hui. Je dois aller en classe. Pourvu que mes parents ne se doutent pas de mon état. Oh ! trouver un fix.

Elle court dans sa chambre, saisit le téléphone. Elle se reprend plusieurs fois pour former le numéro :
- Allô, Noura, c'est moi. As-tu...

Elle n'achève pas sa phrase. Elle a entendu un déclic dans le téléphone. Son frère l'espionne...
- Allô, Noura, tu vas en classe ? Tu as lu l'assignement ?... Non, non, moi je n'ai rien lu. Je n'étais pas en état. Qu'est-ce que tu dis ?... Il fallait comparer les idées de Freud et de Ghazali sur la sexualité et voir si ça s'applique à la femme arabe contemporaine... Qui ?... Mernissi ?... Non, je te dis que je n'étais pas en état. Tu m'expliqueras... D'accord, on se retrouve en bas des marches de la cafétéria. A tout à l'heure.

Elle se précipite vers l'armoire dont un battant est ouvert.

Des habits sont éparpillés, jonchent le sol de sa chambre. Le placard est bourré de vêtements à la dernière mode. Elle s'attarde devant plusieurs toilettes et, finalement, choisit son ensemble guerilla : veste avec pantalons bouffants gris-verts, striés de lignes brunes et oranges. Elle enfile le costume rapidement en se regardant dans la glace, coquette. Son petit visage très blanc, ses énormes cernes noirs, ses joues creuses, ses pommettes saillantes, lui donnent un air de beauté tragique. Elle serait très belle sans une certaine flétrissure des traits, une lassitude des gestes, un vieillissement prématuré.

Elle ramasse un ceinturon brun jeté la veille au sol, serre sa taille très fine. Elle gémit de douleur en portant les mains à son ventre, le visage tordu par la souffrance :

- Il ne faut pas que mon frère remarque que je suis malade. Sortir, trouver un fix avant qu'il ne me voie dans cet état.

Elle prend une crème fluide couleur chair et la passe sur ses cernes. Elle accentue ses cils au mascara. Ses yeux immenses restent un instant posés sur la glace, demandant au monde la raison de son existence.

Dehors, les bombardements commencent. D'abord, c'est un coup ici et un coup là, des bruits sourds, distants, espacés, comme un tonnerre grondant au loin, annonçant l'orage. Puis les détonations se rapprochent, une pluie d'acier tombe sur une localité voisine. Najmé se bouche les oreilles, se plie en deux dans un geste de désespoir. Son corps est secoué de tremblements.

- Non, pas aujourd'hui. Je ne supporte pas. Je n'en peux plus... Mon Dieu, que je puisse au moins trouver un fix.

Elle demeure un long moment prostrée sur le lit, les mains appuyées contre les oreilles, le visage déformé par la crise. Le sang s'est retiré de sa tête et de son corps.

Dehors, la canonnade faiblit. Najmé se relève, choisit un bandeau indien aux couleurs vives. Elle le pose sur son front et le retient derrière la tête. Ses cheveux fous, frisés, auréolent son beau visage encore tendre. Elle allume une cigarette, prend son sac, compte l'argent et sort. Elle fait le moins de bruit possible, tente de glisser par la porte sans être aperçue.

Soudain, une main l'arrête. Son frère :

- Où vas-tu ?
- Je vais en classe.
- Il n'y aura pas classe aujourd'hui. Les Syriens bombardent Achrafieh. Bientôt Achrafieh va riposter.

Elle le regarde avec un sourire triste :
- Mais si, il y a classe. Il y a toujours classe, même sous les bombardements. Je viens de téléphoner à une copine. Elle doit m'expliquer la leçon.
- Tu n'as pas déjeuné. Regarde-toi un peu. Tu as un air à déterrer les morts. Qu'est-ce que tu as encore pris ? Montre, montre-moi ton sac.

Il lui arrache le sac et fouille dans tous les coins. Il ouvre jusqu'au paquet de cigarettes.
- Tu fumes trop. Tu veux te tuer et nous tuer. Si j'attrape de la poudre sur toi, tu sais ce qui t'attend.

Il la regarde avec menace. Najmé baisse les yeux et ne dit rien. Ses épaules courbées frissonnent. Le frère continue :
- Tu m'as promis de ne plus en prendre.
- Oui, oui, c'est fini. Je n'en prends plus. Je te l'ai promis. Laisse-moi aller en classe, je ne veux pas manquer la leçon.
- Viens prendre un petit déjeuner. Tu es maigre à faire peur. Tu ne manges rien.

Najmé a peur de vomir sous ses yeux si elle doit avaler un repas avant le fix.
- Je n'ai pas le temps. Je te jure, je mangerai à la cafétéria. Je dois y retrouver une amie qui va m'expliquer la leçon. Je suis en retard.

Son frère la regarde, soucieux. Il sort de l'argent de sa poche :
- Prends, achète-toi quelque chose de copieux. Tu me fais vraiment honte avec cet air de déterrée et ton ventre famélique. N'as-tu pas honte de nous humilier de la sorte ? Et puis, qu'est-ce que c'est que cet accoutrement ? dit-il, désignant l'ensemble guérilla. Tu te prends pour une Palestinienne maintenant ? On n'en a pas assez par-ici ?

Najmé rougit et baisse la tête :
- Je me changerai, je te le promets. Je me changerai plus tard. Maintenant, je n'ai pas le temps.

Il la laisse, enfin, sortir de la maison. Une balle siffle

au-dessus de sa tête. La rue semble déserte. Au loin, le canon gronde. Des obus craquent et explosent. Elle hésite. Elle tire son bandeau sur les oreilles pour atténuer le bruit des détonations. Elle regarde le ciel dans la direction du fracas. Il est noir de fumée.

Elle se précipite dans sa voiture, la met en marche nerveusement. Elle conduit très vite. La rue est vide - pas une automobile, pas une charrette, pas un passant. Elle appuie sur l'accélérateur. Le compteur de vitesse monte à cent. Elle fonce, aveuglée par la démence de son pays, elle-même prise par la folie et la frénésie de dompter la mort en la frôlant, en la narguant. Elle vire dans des tournants raides, sans klaxonner. Elle arrive en trombe dans un parking - vide aussi - près de l'université. Elle s'arrête dans un crissement de pneus. Elle sort du véhicule, le ferme à clé, allume une cigarette. Un petit garçon s'approche d'elle. Elle plonge la main dans ses poches, en retire de la monnaie :

- Tiens, surveille-la bien. Je t'en donnerai encore plus tard.

Najmé entre dans la cour de l'université - abandonnée aussi. Elle grimpe les escaliers qui mènent à la cafétéria - personne. Son frère avait-il raison ? Elle entre dans la cafétéria bourrée d'étudiants qui débattent très fort dans une épaisse fumée de cigarettes. Elle cherche des yeux Noura. Elle n'est pas encore arrivée. Incapable de discuter ou de commander quelque chose, elle ressort. A l'entrée, elle est accostée par une jeune femme en jeans, très maigre, au visage encore plus émacié que le sien, cheveux très courts, allure garçonne :

- Tu as du sable ?
- Non, je cherche justement Noura, tu l'as vue ?
- Je crois qu'elle est au studio de photos. Mais elle m'a dit qu'elle n'avait rien.

Najmé est connue pour sa générosité. Elle partage toujours ce qu'elle a, même la poudre que les autres cachent et gardent jalousement pour elles, surtout dans les moments de bombardements, quand elle est rare, qu'il est difficile de s'en procurer.

La jeune femme en jeans tire Najmé par la manche :

36

- Si elle t'en donne, je pourrais en avoir aussi un peu ?... Je t'en prie, je crève.

Elle supplie, fait pitié. Elle ressemble à une mendiante au coin d'une rue, une épave de la guerre, prête à tout pour survivre. Elle inspire une profonde tristesse.

Najmé s'éloigne sans répondre. Elle ne s'identifie pas à cette catégorie de droguées - femmes masculines, femmes qui se prostituent, femmes qui vendent leur honneur pour de l'héroïne. Elle oublie qu'elle n'a jamais eu à mendier ou à demander de l'aide. Elle oublie que sa générosité est celle des riches. Comment réagirait-elle si demain, son frère ou ses parents lui coupaient les vivres ? Que ferait-elle si, souffrant comme aujourd'hui, elle se trouvait dans la rue, sans toit et sans ressources ?

Najmé n'a pas appris à raisonner ainsi. Comme beaucoup de Libanais, elle croit avoir une conscience politique parce qu'elle discute tous les jours des événements - qui a tiré sur qui, qui est mort, dans quel combat, quel groupe est aidé par quel pays - mais elle n'a pas appris à pousser l'analyse plus loin, à disséquer les problèmes à la racine. Comme beaucoup de jeunes Libanais, elle est tellement écœurée par les jeux de pouvoir des dirigeants, qu'elle condamne toute politique comme pourrie. Elle préfère la fuite à la réflexion.

Elle atteint le studio photo. Elle voit Noura qui sèche des pellicules, soulève un ruban et le tient face à une lampe. La plupart des images sont des scènes du campus : un escalier, des arbres, le court de tennis, des étudiants-acteurs se fardant pour une pièce, puis Najmé se maquillant en clown. Elle rit :

- Je ne savais pas que tu me photographiais... Quelle soirée, avec la charge de dynamite qui a explosé juste après.

- J'ai des négatifs de la bombe. Regarde l'autre rouleau. J'ai des images de blessés et de morts sous les décombres. Je t'ai même prise essayant de ranimer le corps d'un petit enfant noyé dans son sang, sur le sol...

- Ne parle pas de ça, n'évoque pas le sang... Je vais vomir... Je ne me souviens plus de rien... Ne me parle pas de cet enfant... Tu n'aurais pas plutôt un peu de poudre ?... Je me sens mal.

- Ecoute ! Je veux bien t'en donner, car tu es toujours

généreuse avec moi. Mais ferme la porte. Il y a tous ces vautours dehors, tous ces fous qui cherchent à me dévaliser. Ensuite va la prendre dans les toilettes. Ici, c'est trop dangereux.

Elle sort un petit sac cousu dans la doublure de sa ceinture :
- Tu as du papier ?

Najmé extirpe un morceau d'aluminium de sa poche.
- Ça fera l'affaire, dit Noura.

Avec le coin d'une photo, elle soulève un peu de poudre gris-ocre qu'elle verse sur le papier d'aluminium.
- Voici une prise. Je ne peux pas t'en offrir davantage aujourd'hui. Ça te remettra d'aplomb.

Najmé sort un tube d'argent très fin de son sac. Elle aspire goulûment la substance par les narines. Soudain, la porte s'entrouvre, et la jeune femme en jeans se faufile à l'intérieur.
- Pas ici, crie Noura. Je t'avais pourtant dit de ne pas le faire ici.

La jeune femme ricane :
- Vous êtes des égoïstes et des menteuses.

Puis elle prend un ton éploré :
- Offrez-moi une poussière, je vous en supplie. Je crève. Donnez-m'en un peu.

Elle s'approche de Najmé. Celle-ci lui tend ce qui reste sur le papier d'aluminium. La jeune femme se jette dessus. Noura rassemble ses affaires, décroche ses négatifs, ses photos, et sort.

Najmé se sent mieux. Un sang frais monte à son cerveau, éclaircit ses idées. Ses mains ont perdu leur tremblement. Elle se redresse, saisie d'une nouvelle vitalité.

Hayat se serre contre Adnan. Les cheveux défaits, la blouse entrouverte, elle l'enlace. Elle se presse contre lui. Il la contemple, très ému. Son visage est barré d'un pli sur le front. Son regard brillant cherche à la rejoindre dans l'étreinte que forment leurs bras entremêlés. Il la serre contre lui, la caresse, l'embrasse sur les yeux, sur le front, sur la bouche. Ses lèvres descendent sur son cou, jusqu'à l'échancrure de sa blouse, jusqu'à la peau de ses seins qu'il dévore de baisers. Puis il s'éloigne, il l'observe, il hésite, sa bouche s'entrouvre pour dire quelque chose. Il revient à elle. Il l'étreint contre lui en silence.

Dehors, la canonnade se poursuit - secousses d'acier, tonnerre de braise et de craquements. Les balles des mitrailleuses se répondent, rebondissent dans un déluge de feu. L'atmosphère est tendue de mort. Le silence accentue l'angoisse. Les bombes éclatent. Le ciel s'enflamme. Les canons reprennent, se répondent - détonations qui se cherchent et s'affrontent. Même à distance, les chocs ricochent, se reconnaissent, se renforcent en brutales rafales.

Il la regarde en silence. Il resserre son étreinte. Il l'appelle avec son corps, avec ses yeux très tendres, avec ses mains qui la caressent et font frémir sa peau - ondes et vagues qui montent, arrivent de très loin, par saccades, puis par longues vibrations. Ils coulent ensemble dans l'euphorie de leur désir.
Soudain il s'arrête. Il s'écarte. Il la tient à distance. Il hésite :

- Tu sais, je ne peux plus faire l'amour.

Elle le regarde, étonnée :

- Que veux-tu dire ? Notre étreinte, nos caresses, les sentiments que je lis dans tes yeux quand tu me regardes, tout cela qu'est-ce, sinon l'amour ?

Un pli barre son front :

Je veux dire que depuis la guerre, je suis incapable d'érection. L'acte sexuel pour moi, s'arrête aux caresses.

Il prend sa pipe et la remplit de tabac. Il essaie d'expliquer :

- Au début, je croyais que c'était la tension, une nervosité provenant de cette atmosphère d'insécurité dans laquelle nous vivons. J'ai pris des sédatifs. Cela m'a tranquillisé un peu au début, mais c'était un apaisement temporaire. Je suis passé d'une expérience traumatisante à l'autre. Je te les raconterai peut-être un jour. J'ai risqué la mort à plusieurs reprises dans des situations extrêmement pénibles. La violence de ce pays m'a atteint dans ma chair. Je ne suis pas le seul d'ailleurs. Je me suis rendu compte que beaucoup de Libanais, d'hommes libanais étaient dans le même état que moi. Je suis allé voir des médecins et des psychiatres. J'ai suivi des traitements. J'ai lu beaucoup d'articles et d'études à ce sujet. Cette maladie, cette réaction de la chair, est une des conséquences de la guerre.

Hayat l'écoute, suit sa pensée. Elle frémit à chaque coup de canon qui ponctue les mots d'Adnan.

- Je préfère que tu l'appelles réaction de la chair plutôt que maladie. Je pense que c'est une réaction positive, peut-être même nécessaire.

Il la regarde, incrédule :

- Comment peux-tu tirer pareille conclusion de ce manque — souffrance que je ressens dans mon être, dans mon corps ?

- Mais tu dois le faire, tenter d'analyser ce qui se passe en toi, pourquoi et comment ton corps réagit. Où trouver des réponses à notre guerre si nous n'allons pas au fond de nous-mêmes ?

Les gestes d'Adnan sont nerveux, crispés. Il allume sa pipe et l'observe en silence. Elle lui prend les mains et les caresse :

40

- Ne sois pas si nerveux, mon chéri, tâche de m'expliquer. Fais un effort pour comprendre ce qui se passe en toi...

Il tire sur sa pipe. Il la regarde :

- Je veux bien essayer, mais il y a une chose que tu n'as pas l'air de comprendre : cette conversation m'est très pénible. Tu ne peux pas saisir parce que tu es une femme. C'est très humiliant pour un homme qui souhaite une femme comme je te désire, dans l'amour et les sentiments réciproques, c'est extrêment mortifiant d'être impuissant à faire l'amour d'une façon normale.

- Mais qu'est-ce qui est normal ? Cette guerre que nous vivons est-elle normale ? Mon corps aussi réagit par une certaine abstinence. Je refuse la violence, vomis les bombes, dis non à l'homme qui se bat et qui tue. Crois-tu qu'en toi, c'est la contestation à la guerre qui empêche l'érection ? Ton corps rejette la force destructrice de l'homme qui se manifeste par les images phalliques - fusil brandi, balles éjectées, canon déployé, bombes lancées - tout l'arsenal de l'extension de sa puissance. Penses-tu que c'est cela que tu supprimes en toi ?

- Oui ! Je crois que tu mets le doigt sur la plaie. Je n'ai jamais pu, je ne pourrai jamais brandir un fusil contre un autre homme. La guerre me répugne. La violence m'écœure. Tous les cadavres que j'ai vus, jonchant les rues de mon pays, me donnent envie de vomir. Mais cela n'explique pas pourquoi dans un contexte d'amour et de sentiments, tels que ceux que j'éprouve pour toi, mon élan soit aussi arrêté. Je conçois mon impuissance dans une relation de répulsion et de haine, mais pas dans cette relation d'amour que je vis avec toi.

- Mais l'amour n'est-il pas proche de la haine, la mort la conclusion de la vie, l'orgasme l'apogée des sentiments ?

- Pas avec toi, mon amour pour toi ne contient aucun sentiment de haine. D'autres femmes dans mon passé m'ont fait éprouver cet alliage de sentiments violents de haine et d'amour. Mais avec toi, c'est différent, peut-être parce qu'on se ressemble. Avec toi, je ne sens pas cette sépatation qui produit la violence, cette ligne très fine de démarcation et de rupture qui sépare l'homme de la femme. Avec toi, j'ai l'impression de me fondre en moi-même.

En parlant, il tire sur sa pipe et la regarde avec douceur. La canonnade s'amplifie et se rapproche. Elle se serre contre lui et dit avec tendresse :

- Nous devrons peut-être passer la nuit dans l'abri. La bataille se rapproche. Il vaut mieux que tu ne rentres pas chez toi, c'est trop dangereux. Reste et passe la nuit avec moi. Nous nous étreindrons, nous nous donnerons du courage. Nos corps se procureront mutuellement le calme. Nous nous rassurerons.

Il pose sa pipe et lui prend les mains :

- Tu es étonnante. Tu es vraiment extraordinaire ! Une autre femme n'aurait pas supporté mon état, m'aurait demandé de partir.

- Mais non, c'est toi qui est merveilleux. Les autres hommes sont excités par la guerre. J'en ai vus qui, lorsque le canon tonne, atteignent une euphorie proche de l'extase. Cet état se prolonge chez eux dans l'acte sexuel. Ils en font un champ de bataille - conquête, victoire, pénétration violente. Je fuis de tels hommes. J'ai essayé de leur expliquer, mais c'est inutile. Ils se moquent de moi, rient de ma sensibilité.

- Moi aussi, ils me tournent en dérision et me traitent d'homosexuel. Je dois ajouter qu'il y a aussi des femmes qui aiment la guerre, et d'autres hommes qui la refusent, tout comme moi.

- Tu veux dire que c'est un problème humain plutôt qu'une différence entre les sexes, une diversité des êtres plutôt qu'une caractéristique sexuelle ? Mais n'y a-t-il pas davantage d'hommes qui aiment la guerre, alors que la femme, elle...

- Je ne sais pas. Peut-être bien que tu as raison. Mais viens, essayons de dormir. Je veux te serrer contre moi, que cette nuit infernale, de notre amour éclose une fleur de paix, que de notre amour naissent les racines qui reboiseront ce pays ravagé.

Ils se déversent l'un dans l'autre. Leur tendresse coule de l'un à l'autre, par leurs pores, par leur peau. Leurs corps se fondent l'un dans l'autre dans la nuit devenue silence. Leurs bouches se scellent comme un fruit de paix. Leurs mains se joignent comme des ailes de liberté. La femme pénètre l'homme qui la caresse dans un désir échangé. Les racines

de la femme poussent, creusent, s'enfoncent jusqu'au centre de la terre. Le corps de l'homme nouveau s'unit à celui
de la femme. Un arbre inconnu jaillit du fond de la terre.
L'homme et la femme mêlent leur sève guérie. La résine de
l'arbre les soude l'un à l'autre pour toujours, jusqu'au miracle : les canons devenus violons jouent un chant nouveau qui
remplit le pays d'une mélodie libératrice.

Dans la maison, la vie se réveille. Les enfants chucho-
tent. Un bruit de casseroles résonne dans la cuisine. Dans
la pièce, les objets peu à peu deviennent distincts. Raja remue
contre Nour. Elle ne veut pas encore le réveiller. Une odeur
de café se répand. Le poste de radio annonce le bilan de
la nuit : deux cents morts, trois cents blessés, les victimes sont
surtout des civils. Les troupes syriennes ont attaqué certains
quartiers chrétiens de la périphérie, lancé roquettes et obus,
détruit des immeubles. Puis les avions israéliens ont bombardé les camps palestiniens. La ville est bloquée, toute la
ceinture de la ville est dangereuse. Les gens sont priés de
rester chez eux, de ne pas bouger des abris ou des demeu-
res. Les hôpitaux regorgent de blessés. La Croix-Rouge lance un
appel aux donneurs de sang.

L'enfant, contre la femme, se réveille lentement. Ses
mains s'agrippent aux seins, il tire sur sa robe dans un geste
tyrannique, comme s'il voulait retrouver la toute première
sécurité de sa petite enfance, bien avant la guerre, bien avant
la fuite dans la ville, quand il ne connaissait rien d'autre
que la chaleur moite entre les seins de la femme, que le
jet de lait tiède dans sa bouche, que la sensation de chair
douce et parfumée contre lui.

La radio donne les nouvelles mondiales. Le ton du spea-
ker est lointain et indifférent. La femme de la maison entre
dans la pièce avec un plateau et le café.

- Viens boire une tasse avec nous, dit-elle à Nour, encore
étendue sur le tapis. Il y a aussi du pain et de la confiture
pour les enfants.

Nour se lève. Elle prend une tasse de café et boit à petites gorgées le liquide brûlant. L'homme de la maison allume sa première cigarette.

- Tu ferais mieux de rester avec nous, dit-il à la femme. Les nouvelles sont mauvaises. La ville est dangereuse.

Nour continue de boire en silence. Elle tente d'y voir clair.

- Les informations sont toujours alarmantes. Demain sera peut-être pire. Traverser la ville ne peut pas être plus risqué que ce que je viens de vivre. Vous rendez-vous compte de l'enfer et des nuits de bombes et d'explosions ininterrompues, des heures sans fin de cris et d'appels déchirants... L'orage est toujours là, le vent souffle, demain peut nous apporter cette grêle d'acier et de mort que l'enfant et moi venons de supporter. Je me sens incapable de subir ce calvaire une autre fois, bloquée dans une maison, sans possibilité de sortir. Je préfère mourir à l'air libre.

L'homme l'écoute en tirant sur sa cigarette. Il sait que la femme a raison - demain sera peut-être pire. Mais il y a le pont de la mort, la ligne de démarcation, le point de rencontre de la ville divisée. Ce passage, on n'en sort pas vivant.

- La ceinture de la ville est bouclée. La ville est bloquée et sera paralysée pour plusieurs jours. Ils viennent de le dire aux nouvelles. Tu seras obligée de traverser la ligne de démarcation. Il n'y a pas d'autre route. Cette voie est fatale. Pense à l'enfant. Si vous restez avec nous quelques jours, la situation peut changer. Tu pourrais alors contourner la ville et rejoindre l'autre côté par la périphérie.

La femme pèse les paroles de l'homme. Elle continue à boire son café, réfléchissant. L'enfant mange un arouss mrabba - du pain arabe tartiné de confiture, roulé en forme de petit pain allongé. Il est heureux et reposé. Un énorme pli barre le front de Nour. Elle pèse le pour et le contre.

- Je connais bien le pont de la mort, explique-t-elle à l'homme. Du temps où la ville ne faisait qu'une, du temps où les enfants en tabliers d'écoliers le franchissaient à midi et à quatre heures, en bavardant, riant et jouant. Moi aussi, je le prenais pour aller à mes leçons de violon et de chant. Je connais ses coins et recoins. Cette ville n'a pas toujours été divisée. La ligne de démarcation, d'oubli et de silence n'a pas toujours existé. Les deux côtés ne se sont pas toujours affrontés. Il faut essayer de retrouver l'entente passée, racommoder les divisions. Aujourd'hui, si la périphérie est dangereuse, peut-être le centre l'est-il moins. Si je n'essaie pas de franchir ce mur de mutisme, d'absence, et de désolation, qui le fera ? Qui osera ? Quelqu'un doit commencer. Je veux sauver l'enfant et tenter ce rapprochement. Je sens qu'il est nécessaire que je parte.

En parlant, Nour se lève et rassemble les quelques objets qu'elle portait.

- Que Dieu soit avec toi, dit l'homme, comprenant que sa décision est prise et que rien ne pourra la retenir. Que Dieu vous protège, toi et l'enfant.

Il sort de sa poche une montre en or.

- Tiens, accepte ceci, tu en auras peut-être besoin.

La femme fait une toilette rapide. Il y a très peu d'eau. Elle ne veut pas profiter de la générosité de ses hôtes. Elle passe une éponge mouillée sur le visage de Raja et lui lisse les cheveux. Les yeux de l'enfant semblent encore plongés dans le rêve. La femme de la maison leur tend un sac.

- Prenez un peu de pain et du fromage, pour le voyage.

Toute la famille est rassemblée près de la porte et regarde la femme et l'enfant qui vont s'en aller. L'hôtesse essuie des larmes au coin des yeux. L'homme est ému et soucieux.

- Si vous arrivez de l'autre côté, dites à nos frères que nous sommes avec eux. Dites-leur que nous ne voulons pas de cette division. Demandez-leur de travailler avec nous à la reconstruction de la ville et à sa réunification. Si tu parviens à franchir le pont de la mort, alors l'espoir peut renaître. Supplie ton frère et tous nos frères là-bas de venir à notre rencontre. Nous ferons les pas nécessaires à cette réconciliation.

Puis il se détourne et rentre dans la pièce en se mouchant bruyamment. Nour noue une écharpe sur ses cheveux blanchis. En une semaine, elle a vieilli de dix ans. Elle met le sac dans son panier, s'approche de l'hôtesse et l'étreint d'un geste rapide et affectueux. Les enfants contemplent la scène silencieusement. Nour et Raja franchissent la porte.

Najmé est en classe. Elle s'est assise tout au fond et allume une cigarette. Tenir une cigarette entre ses doigts la rassure, lui donne une contenance. Elle a l'impression de pouvoir affronter les autres, la vie, le monde cruel qui l'entoure, la guerre qui ravage son pays. D'ailleurs tous les étudiants autour d'elle fument avec rage et tous les citoyens aussi. Le marché parallèle y aide. Les cigarettes, la drogue et l'alcool ne coûtent presque rien en ces temps de guerre. Une phrase terrible court les rues, on l'entend aussi à l'étranger : au Liban, les cigarettes, l'alcool et la vie humaine sont bon marché, « cheap, cheap, cheap », ou encore « balash » jeté avec désinvolture.

Elle aime bien ce cours et le professeur, femme à laquelle elle s'identifie, femme qui parle avec passion et révolte des problèmes de la femme arabe, femme qui a eu le courage de rompre avec certaines des traditions de son pays. Elle s'identifie à sa force et à sa douceur. Elle sent en elle une compréhension et une sensibilité qui la conduisent au fond d'elle-même. Ici, on discute de la vie et pas seulement des livres. Ici, on peut exprimer ce qu'on doit, la plupart du temps, tenir caché dans la société et dans les autres classes.

Lorsque Najmé se sent bien, parce qu'elle vient de prendre un fix, elle s'exprime en classe. Ses paroles sortent alors avec éclat. Tout le monde est secoué par sa virulence.

Ce jour-là, presque personne n'est venu en classe. Une de ses camarades fait un exposé. Elle explique les théories de Freud - complexe d'Œdipe, désir du pénis de la fillette, identification à la mère puis au père chez le garçon, identification continue à la mère chez la fille, identifications qui entraînent des crises. Au loin, des détonations éclatent.

Najmé trouve ces théories ridicules : Freud et ses idées, pénis et bombes, tout tourne dans sa tête. Elle a envie d'exploser. Elle lève la main. Le professeur lui fait signe de parler. D'abord elle hésite, ses mots sortent avec peine. Puis ils viennent intenses, fougueux :

- Pour moi... pour nous, femmes arabes, nous qui vivons dans cette violence et les horreurs de cette guerre, là n'est pas notre problème... Je connais des femmes qui ont dû montrer le drap taché de sang la nuit de leur noce. J'ai des amies dont les maris cadenassent les cuisses avant de partir se battre la nuit, pour être sûrs que ce qu'ils considèrent comme leur propriété, sera intact à leur retour. Nous vivons la sexualité dans la brutalité, l'honneur et la vengeance des tribus.

La jeune femme qui a fait l'exposé n'a, semble-t-il, pas entendu les remarques de Najmé. En tout cas, elle ne les relève pas, et continue :

- Mernissi, dans son livre, dit que la femme musulmane devrait, en principe, être sexuellement plus libérée que la chrétienne. Elle compare les idées de Ghazali - l'Islam ordonne à l'homme d'apaiser l'appétit sexuel de la femme - à celles de Freud - la morale judéo-chrétienne, basée sur la notion de culpabilité, dénonce l'acte sexuel comme quelque chose de sale et de dépravé.

L'étudiante expose d'une voix monocorde, un résumé très simplifié, d'un chapitre de Mernissi. Elle s'arrête. Le professeur l'interroge :

- Alors comment expliquer la condition de la femme arabe ?

Le silence de la classe, sa méditation est ponctuée par des explosions qui se rapprochent. Le professeur élabore :

- Si l'Islam, d'après les théories que nous venons d'entendre, promet la libération de la femme, et le christianisme, son assujettissement, comment expliquer les mutilations génitales, la polygamie, les crimes d'honneur, la répudiation, le devoir de procréation ?

50

Une étudiante se hasarde :

- Serait-ce parce que chrétiens et musulmans ne suivent pas les préceptes de leur religion ?

Une autre ajoute :

- Ou que ceux qui ont écrit ces théories ont mal compris les textes sacrés ?

Le professeur continue :

- Si vous aviez toutes les deux raison, si le problème venait d'une fausse interprétation et d'une mauvaise application de ces énoncés, alors que faut-il faire ? Où est la solution ?

Le silence règne dans la classe. Les étudiants ont de la peine à poursuivre la réflexion dans le bruit des tirs et des explosions. Le professeur explique :

- Il y a donc une opposition foncière. Les textes religieux témoignent d'un langage dialectique, d'une pensée qui se contredit, de préceptes qui s'appliquent à la vie - elle-même contradictoire - et la reflètent.

La classe prolonge son silence. Soudain, Najmé éclate :

- Je ne peux pas accepter une religion pareille. Je trouve la religion hypocrite - de s'allier politiquement à la gauche ou à la droite - elle est toujours pareille. La religon me révolte, tout comme la politique. La religion et la politique ont détruit ce pays. Moi, je n'en veux pas. Et je ne veux surtout pas d'une religion qui dit que je dois obéir, être mariée de force, battue, répudiée, violée comme un agneau qu'on égorge...

Une étudiante l'interrompt :

- La religion n'a jamais dit qu'une femme devait être violée.

Najmé la regarde, le feu dans ses yeux qui brillent comme des étoiles, alors qu'ils étaient éteints par la drogue.

- Ah non? Tu veux que je te raconte ce que les soldats syriens m'ont fait l'autre jour ? J'ai été sauvée de justesse. Aimerais-tu que je te décrive dans les détails ce qui s'est passé ?

Le professeur appréhendant la tournure de la discussion, intervient :

- Najmé, je comprends votre révolte, votre rejet d'une religion qui condamne la femme à l'état dans lequel elle se trouve. Mais il faut chercher et découvrir des solutions. Il faut travailler à la transformation, au changement de cette situation intenable. Comment y parvenir ? Par où commencer ? Si la religion - druze, chrétienne ou musulmane - est tellement inhérente à la culture arabe, ne devrions-nous pas procéder à une autre lecture des textes religieux, à une exégèse différente - une innovation quant à leur application à partir de théories nouvelles ? Si, jusqu'à présent, ces textes ont servi à assujettir la femme, pourquoi ne pas les renverser, retourner leur sens millénaire et les utiliser en faveur de la femme, de sa libération, et, par là-même, de la libération de l'homme arabe, car l'une ne va pas sans l'autre ?

Une étudiante demande :

- Comment le faire si les textes ont fondamentalement un double sens ?

Une autre ajoute :

- Comment se fait-il que ces textes ont toujours été interprétés pour opprimer la femme ?

Un étudiant continue :

- Et s'ils sont à double tranchant, quel côté choisir et pourquoi ?

Le professeur conclut :

- D'autres questions ajoutées à celles que vous venez de poser sont : Pourquoi un sens, retenu au travers d'une époque de l'histoire, l'a-t-il été plutôt qu'un autre ? Qui l'a choisi et dans quelles conditions ? C'est une longue étude à faire qui devrait déboucher sur un plan d'action. Cela demandera du travail, des sacrifices et de la patience.

Pendant qu'ils discutent, Najmé s'est endormie sur sa chaise. Une cigarette à moitié éteinte pend de ses doigts. Les obus tombent très près et on vient leur demander de descendre à l'abri.

- Comment as-tu vécu la guerre ?

Hayat pose la question à Adnan qui la regarde en allumant sa pipe. Ils sont installés à la table d'un restaurant au bord de la mer. L'endroit est désert, car les gens ont peur de sortir. La nuit est tombée soudainement sur la mer, quand le soleil, boule de feu, a brusquement plongé à l'horizon. A tout moment, la ville peut éclater, les rues se transformer en champs de bataille, les trottoirs en rigoles de sang.

- Je l'ai vécue comme ce soir, sans prendre beaucoup de précautions. Certains Libanais avaient tellement peur qu'ils n'ont pas bougé de chez eux pendant toute la guerre, certains d'entre eux sont morts dans leur cachette, d'autres, sans prendre trop de risques, ont essayé de continuer à mener une vie normale, ou du moins, à survivre malgré tout, comme moi - se rendre au travail, traverser la ville, sortir de temps à autre le soir, aller à la plage quand il fait chaud, dîner au restaurant pour changer d'air. Parmi ceux-là, certains aussi sont morts, acculés dans une rue, kidnappés à un barrage, réduits en miettes par une bombe, comme les autres. C'est une question de chance. Tu vois, je suis fataliste ! Je me dis que Dieu sait !

- Pourtant, tu ne crois pas en Dieu.

- Non, je ne crois pas en Dieu, ce n'est donc pas un sentiment profond. C'est une attitude ethno-culturelle, philosophique : Que les choses suivent leurs cours, guidées par une main invisible - Dieu ou ce que tu veux - mais moi, je continue à vivre. Je poursuis mon chemin, car ce qui doit arriver, que je le veuille ou non, se réalisera de toute façon.

- Tu ne penses pas que cette position, partagée par beaucoup, est aussi l'une des causes de notre guerre ?

- Comment cela ? Explique-toi.

Pendant qu'ils parlent, la table est recouverte de petits plats : tabboulé, hoummos, méchoui et koubbeh. Le vent salé de la mer leur a aiguisé l'appétit. Hayat plonge un morceau de pain dans le hoummos.

- Je n'ai pas vécu la guerre avec vous, mais je suis étonnée de remarquer qu'on mange toujours aussi bien dans ce pays. Est-ce vrai de toute la guerre ?

- C'est exact pour moi et pour ceux que je connais. Quant à la nourriture, on n'a presque jamais manqué de rien.

- Mais tu fais partie des privilégiés. J'imagine qu'il y a des gens qui ont dû avoir faim.

- Oui, sûrement, tout comme avant la guerre. Je ne crois pas que la guerre ait modifié l'opposition des riches et des deshérités. La guerre n'a rien changé de ce point de vue : ceux qui mangeaient bien, avant la guerre, continuent toujours à le faire, et ceux qui se nourissaient de pain, d'oignons et d'olives, subsistent encore avec du pain et des olives. Mais explique-moi ce que tu voulais dire quand tu parlais de la fatalité comme cause de notre crise.

- Je ne sais pas si je peux bien comprendre ce qui se passe, parce que je n'ai pas vraiment connu la guerre. Je l'ai ressentie de loin. C'était quelquefois plus dur que de se trouver sur place, car les informations qui parviennent à l'étranger sont fragmentées, déformées. Et lorsqu'on n'arrive à joindre ses proches ni par lettre, ni par téléphone, c'est intenable... Mais j'essaie d'analyser, car je pense que ce n'est qu'en allant au fond des problèmes qu'on pourra, peut-être, modifier les données de la crise et lui trouver une solution. Le tort des hommes politiques, c'est de ne pas connaître leur société et sa culture, ce qui se passe dans la tête des gens, et comment la sexualité s'en mêle. Quand seuls les résultats immédiats comptent, on néglige des facteurs essentiels. Il devient facile alors d'aligner les êtres humains contre des murs pour les abattre.

- Ou leur procurer des fusils et des canons pour qu'ils s'entretuent.

- Pour en revenir à la fatalité, je suis toujours frappée, quand je rencontre des Libanais à l'étranger, ou que je reviens dans ce pays, d'observer leur attitude nonchalante, et presque indifférente face aux problèmes sérieux, une mentalité de « laisser les choses aller », comme tu la décrivais tout à l'heure. C'est ce qui fait notre charme, notre personnalité de souplesse, et nos facultés d'adaptation. C'est ce qui nous a donné le goût d'aller ailleurs et de nous enraciner un peu partout dans le monde. C'est aussi ce qui a créé le dynamisme de notre économie, ce qui a rendu ce pays prospère, ouvert, en a fait un point de rencontre des cultures. Mais je ne m'arrête pas là, car je crois que cette attitude a aussi permis que s'infiltrent des forces de violence qui détruisent ce pays.

- Est-ce que la fatalité entraîne l'agressivité, les confrontations meurtrières ?

- Ce n'est pas ce que j'ai voulu dire. Ce serait plutôt le contraire, me semble-t-il. Mais essaie de m'expliquer ce qui se passe en toi quand tu te dis : « De toute façon, le destin prendra soin des choses, moi je n'y suis pour rien ».

- Si je n'adoptais pas cette attitude, je me suiciderais. Je ne supporterais pas de vivre, car la vie rend nécessaire une prise de position extrémiste, et je ne supporte pas ces situations où on est conduit à la liquidation des autres. Je m'explique : la vie est cruelle. Elle force soit à l'agressivité, soit à la passivité. Je ne veux être ni l'un ni l'autre. J'ai le choix de me suicider, ou d'adopter une philosophie de « je m'en foutisme ». Je ne pourrais pas me tuer. Je préfère la solution du « maktoub ». C'est une position entre les deux, une philosophie plutôt qu'une croyance.

- Quelle est la différence ?

- Une philosophie, c'est un mode de vie, une attitude qui dicte les choix de l'existence. La croyance est fondée sur une réalité extérieure à soi qui permet de transcender les problèmes de l'être.

- Si tu avais la foi, arriverais-tu à surmonter ta peur, et pourrais-tu alors vivre ton destin différemment ?

- Oui, oui, cela changerait ma vie... Mais je refuse cette

solution qui, pour moi, est une fuite. Je ne peux pas accepter une entité externe.

- Mais le Maktoub ou la fatalité, ne se trouvent-ils pas aussi en dehors de soi ? Etre convaincu que tout est déjà décidé, qu'il existe une prédestination, n'est-ce pas une forme de dogme ?

Adnan la regarde. Il réfléchit, tire sur sa pipe. Hayat continue :

- Ce que j'essaie de dire : n'est-il pas préférable de choisir une croyance, de vivre par elle, et ainsi d'éviter peut-être des souffrances inutiles, plutôt que d'accepter un destin flou qui te fait accepter n'importe quoi ? Et pour le Liban, l'absence de volonté qui se manifeste dans la désinvolture des individus, n'a-t-elle pas permis aux forces de la violence et du mal de poursuivre la destruction du pays ?

Adnan regarde attentivement Hayat. Il est préoccupé par ses arguments.

- Je comprends ton objection, j'y ai déjà réfléchi. Mon indifférence ne me fait pas accepter n'importe quoi. Je rejette la violence, mais aussi la passivité. Et je désavoue surtout les jeux de pouvoir.

- Tu as donc une attitude de reniement plutôt que d'indifférence. Mais est-ce pareil pour les autres Libanais ?

- Je ne sais pas ce qui me fait raisonner comme ça... Mais il y a d'autres données à notre guerre : les textes religieux, mal interprétés par des chefs fanatiques, ont poussé les habitants à s'entretuer. Voilà pourquoi je récuse la religion. Dans ce pays, l'intolérance et la résignation ont composé un cocktail de poison et de mort.

Tout en parlant, ils ont presque terminé de manger, et Adnan a commandé des cafés. L'arôme de la cardamone se mêle harmonieusement à l'anis de l'arak. Les parfums ont le goût d'un pays retrouvé. Le vent de la mer se brise comme les ailes de la paix. Le sel colle à la peau comme une mer de résurrection. Hayat soupire, Adnan tire sur sa pipe.

- Quelle chance ce soir, pas un seul coup de feu ! C'est sûrement parce que nous sommes ensemble !

Hayat sourit et se fond dans sa tendresse. Elle allume une cigarette.

- Nous devions avoir vraiment faim. Regarde nous n'avons presque rien laissé !... Est-ce que tu crois que notre rencontre fait partie du « maktoub » ?

Adnan lui prend la main par-dessus la table.

- C'est beaucoup plus que cela. C'est une religion, mais dans le bon sens du terme.

Hayat éclate de rire.

- Tu embrouilles tout. Tu n'as pas l'air d'être très au clair avec toutes ces idées.

Adnan la regarde.

- C'est possible, mais il y a une chose dont je suis sûr : le sentiment que j'éprouve pour toi me donne une paix et un bonheur intérieurs que je n'ai pas ressentis depuis très longtemps, alors peut-être n'est-il pas nécessaire de l'analyser. Il suffit de l'accepter.

- Oui, soupire Hayat, c'est comme la mer. Ça permet de toujours recommencer. Ça ouvre l'horizon.

Le bruit des vagues berce les rochers de la falaise qu'ils surplombent. Au loin, la montagne brille de mille lumières. Pas un coup de feu, pas une rafale, un silence inhabituel règne sur la ville qui reçoit la mer contre ses flancs, dans un souffle de renouvellement et de contentement.

- Ce calme est effrayant, remarque Hayat. Comment imagines-tu les milices en ce moment ?

- Des amis qui habitent près de la ligne de démarcation m'ont raconté que les soldats ennemis se retrouvent aux heures de trêves, qu'ils jouent ensemble au tric-trac, boivent de l'arak, et mangent du tabboulé sur les balcons, en attendant l'ordre de reprendre la bataille.

- Est-ce que tu les crois ?

- Oui, absolument, j'en suis même convaincu. Cette guerre est tellement absurde. Toute cette jeunesse qu'on a armée et entraînée au combat ne sait plus faire autre chose maintenant. On lui a bourré le crâne de slogans et d'idéologies politiques et religieuses dont elle ne saisit pas la portée. Elle meurt pour rien, absolument pour rien... De toute façon, je pense qu'elle est irrécupérable.

- Tu es bien pessimiste ! Comment expliques-tu que cette même jeunesse, à ce point endoctrinée et armée, se met à jouer au tric-trac, et à boire de l'arak avec l'ennemi ?

- Cela prouve bien l'illogisme de cette guerre. Jusqu'à très récemment, nous avons fraternisé sur ce coin de terre, entre ethnies différentes.

- Ta déduction ne me satisfait pas. J'aimerais comprendre ce qui pousse un homme à tirer sur un homme avec qui il a joué, bu et ri.

- Mais il ne le voit pas. Il ne pense pas qu'il va le tuer. Il croit que c'est un jeu, comme le tric-trac... On lui a donné des ordres, alors il braque son arme.

Ponctuant sa phrase, une rafale de mitrailleuse ricoche dans le lointain.

- Nous ferions mieux de rentrer, remarque Adnan, en demandant l'addition.

- C'est l'annonce de la reprise des combats, soupire Hayat. J'aimerais pouvoir me glisser jusqu'à la ligne de démarcation, en ce moment, et donner à son silence qui vient d'être brisé, une autre expression, une parole, un chant...

- Oui, ajoute Adnan, si nous pouvions la colorer de notre amour. Si nous avions les moyens de changer ses cendres en cèdres et en fleurs. Si nous arrivions à remplir son espace par l'entente qui nous unit.

- Que faudra-t-il pour y arriver ? insiste Hayat.

Elle se lève et se blottit contre Adnan, qui entoure ses épaules de ses bras. Elle aussi l'enlace. Ils sont face à la mer, le dos tourné à la ville. Ils entrent dans le silence de leur amour, marqué par la vague qui se brise, et les rafales des mitrailleuses qui crépitent. Ils se tournent, d'un commun accord, face à la ville. Ils pénètrent de concert le mur de l'oubli.

L'océan est auréolé de pourpre
Il y a des hirondelles qui meurent dans mon cœur
Il y a des fleurs qui tombent dans le matin blanc
J'aimerais te porter au-dessus du temps
toi, l'enfant de demain
qui n'a connu que la guerre
Toi que j'aimerais serrer contre mon cœur meurtri
Je cherche l'étoile éclatée de tendresse
J'attends celui qui m'aimera vraiment
Je le garderai au chaud, dans les plis

de mon cœur et de mon corps
et nos peaux souffleront
le bonheur de s'être trouvés
et reconnus...

Il n'y a pas de paix pour celui qui cherche...

Il n'y a pas d'électricité. Hayat écrit à la lumière d'une
lampe à gaz. Elle note, rédige, pressée de tout exprimer :
les souffrances de son passé, les joies de son présent, les peurs
et les attentes d'avenir.

J'ai pensé mourir...
Mon chagrin éclatait par tous les pores de ma peau
Une fatigue intense s'était abattue sur moi
J'avançais dans le noir...

Le soleil du Liban me guérit lentement
Je suis à l'unisson de la souffrance des pierres,
des cèdres et des cendres de mon pays
Je communique avec son peuple frappé par le malheur

Je pensais revenir ici pour y mourir peut-être...
Mais c'est le contraire qui se produit
Je revis lentement
Une paix intérieure remplace mon angoisse
Les bombes qui éclatent à l'extérieur ne me touchent pas.

Ici, j'arrive à toucher la beauté, cœur de mon existence
Ici, je retrouve les conflits qui m'ont déchirée et forcée à
partir.
Ici, je découvre les raisons des choix de ma vie
Ici, je peux faire la part des choses, donner un sens à ma
douleur
et peut-être à celle des autres
Ici, une société déchirée et meurtrie, autant que moi
me porte au-dessus du temps
et m'apprend la patience
Ici, j'accède au sourire dans les larmes

Ici, je peux rire dans l'angoisse, avec les autres
car elles partagent ma peine.

Hayat rédige et écrit à la lumière d'une bougie. Elle est
accroupie dans l'abri. Dehors, les obus frappent et éclatent.
Elle médite sur ce qu'elle découvrira en sortant. Elle se
demande si le soleil pourra encore luire sur les débris de son
pays écartelé. Même l'amour d'Adnan et la pensée qu'ils
se retrouveront peut-être, n'arrivent pas à panser les blessures de
son passé.

En 1998, la terre existera-t-elle toujours ?
Retrouverai-je celui que j'ai aimé ?
Lui ferai-je un collier de mes sanglots ?
Pourra-t-il accepter les larmes
étant devenu l'homme nouveau
transformé par l'absolu du temps ?
Aura-t-il compris l'importance des pleurs ?

Il m'a dit avoir une blessure au fond de lui,
plaie vive qui ne se referme pas.
Pourquoi ne me laisse-t-il pas la cicatriser ?
Il aurait pû écrire, et moi avec lui.
Nous aurions créé, unis par nos deux cœurs
faits l'un pour l'autre.

Autour de la terre est un réseau de clarté
Mais les hommes ne le voient pas
Il est voilé par la poussière des canons
Bientôt par le nuage nucléaire

Il y a dans mon cœur
un rayon de lumière que je n'éteindrai pas
malgré la déchirure qui s'est rouverte
qui saigne et ressaigne
car je n'ai pas voulu ou su me protéger...

Oui, il viendra à moi, peut-être dans l'éternité.
Le reconnaîtrai-je ?

60

On ne peut pas aimer sous les bombes
On ne peut pas désirer quand d'autres meurent
On ne peut pas comprendre quand on essaie de rester en vie
On ne peut pas analyser quand chaque instant peut vous être
arraché

Mon cœur est une meurtrissure
trouée par les obus de mon pays en délire
Ma voix crie la chanson
des oiseaux brûlés sur les trottoirs de sang
La ville crie ses différences fanatiques
et sa soif d'un arc-en-ciel de réconciliation
qui ne viendra plus.

La terre, ce petit coin de terre est à sang et à flammes
Et moi, je pleure l'amour perdu.
J'ai écrit une mélodie que je ne chanterai plus
J'ai crié un espoir qui ne renaîtra plus
Je lui ai tendu les mains, mais il ne les a pas saisies
Je lui ai demandé une vie qu'il n'a pas désirée
J'ai pleuré dans ses bras, des larmes perdues...

Le soleil coulera-t-il sur ces pierres fissurées
noircies par la haine ?
Les racommodera-t-il ?
Et moi, pourrai-je prendre les morceaux de mon cœur
les recoller, et donner un sens à ma vie
qui ressemble à ce pays morcelé ?

J'appelle, j'appelle le souffle de paix de l'accordéon...

Nour a saisi la main de l'enfant. Elle marche rapidement contre le matin déjà imprégné de la chaleur moite du jour. Raja trotte avec elle d'un pas décidé. Les gens sortent des maisons, profitant de l'accalmie pour faire des courses. Au fond de la rue, la boulangerie est pleine de monde. Sur le trottoir, il y a queue - ceux qui attendent pour acheter du pain. La femme aimerait bien en faire autant, mais son temps est compté. Plus vite elle aura franchi le pont de la mort, plus vite elle sera en sécurité de l'autre côté, elle et l'enfant.

Soudain, un homme - l'un des visiteurs de la veille, celui qui avait hurlé contre les Palestiniens et contre tous les étrangers, source des malheurs - les rattrape. Il aborde la femme.

- Tu estimes vraiment qu'il vaut mieux partir ? C'est dangereux, tu sais. Les combats ne s'arrêtent pas au centre, et impossible de contourner la ville.

- J'en suis consciente, déclare la femme, mais je ne peux pas rester. La mort est partout. Je préfère l'affronter.

- Tiens, dit l'homme, prends ces deux pains. Tu en auras besoin, toi et l'enfant. Et il leur donne deux pains, un lisse et doré, l'autre recouvert de thym et d'huile d'olives.

- Si tu arrives de l'autre côté, dis-leur que même moi, avec mes préjugés et ma façon obstinée de voir les problèmes, je veux la paix, et que je leur tends la main et le pain pour retrouver notre entente première, quand rien ne nous divisait, pas même le Dieu que nous prions.

Nour hoche la tête et accepte les galettes qu'elle met dans

son panier. L'huile d'olives coule sur ses doigts. Elle serre la main de l'homme, imprégnée elle aussi d'huile. Leurs regards se croisent, et elle se sent subitement portée par l'amitié qu'elle vient de découvrir chez les habitants de cette rue, dont elle ignorait, hier encore, l'existence et la chaleur.

Elle reprend sa marche, bifurque dans une autre rue. Ici, la destruction est plus apparente : de nombreuses maisons, des pans de murs sont écroulés, des vitres éclatées. Les femmes sont vêtues de noir. Les balcons des immeubles sont enveloppés d'un drap blanc en signe de deuil.

- Comme je souhaite arriver, pense Nour. J'aimerais tellement atteindre l'autre côté, prouver que nous ne faisons qu'un, que la coupure n'existe pas. Oh ! réussir à donner à cette ville le chant d'un amour retrouvé.

L'enfant avance à côté d'elle, tenant un pain chaud contre sa poitrine.

- Pourquoi sommes-nous les seuls à traverser ? demande-t-il.

- Parce que nous sommes l'espérance, comme ton nom, symbole de renaissance.

Ils pénètrent sous un arc, dans une cour pavée de pierres rondes et polies. Des touffes d'herbe croissent dans les fentes. L'enfant se penche et cueille un coquelicot. De chaque côté, des habitations éventrées offrent leur aspect sinistre.

- C'est par-là qu'elle habitait, se rappelle Nour, en pensant à celle qui lui avait enseigné la musique. Est-elle toujours en vie ? Quelle désolation ! Comment reconnaître sa maison ? Comment la retrouver et savoir si elle a survécu aux décombres ?

- Nous allons la chercher, dit-elle à Raja. Viens, ne t'attarde pas à cueillir ces fleurs nourries de sang.

Ils se pressent l'un contre l'autre, grimpent une ruelle très étroite et rocailleuse. Des murailles entières sont affaissées. Quelquefois, ils doivent escalader des monticules de pierres pour passer. La mort est partout. La femme serre son baluchon. Elle se demande si elle a bien fait de suivre son désir, de retrouver celle qui lui a tant appris. Elle aimerait tellement lui parler, avant de franchir le pont.

L'enfant, lui, n'est pas effrayé. Il aide sa mère à enjamber les pierres. Il la soutient quand elle doit sauter. Il est à l'aise, dans les décombres qui dessinent des statues funèbres sur le chemin, cimetière ascendant. Où a-t-il pris ces forces, lui, né des plaies de l'oiseau égorgé à la croisée des routes ? A-t-il vu le soleil au-delà des tempêtes ? A-t-il vu l'hirondelle perchée au sommet du toit démoli ? A-t-il senti la caresse du vent qui se brise ?

Des pierres sont glissantes et couvertes de boue, d'autres rugueuses et piquantes, d'autres noires de charbon et de cendres, d'autres taillées et polies, disposées avec une exactitude géométrique. Il y a des fossés remplis d'eau et de fange, bourbiers, ruissellements issus de la violence, sentier de Galilée, aspérités de ronces et d'orties.

Ils atteignent un monticule infranchissable, un rempart entier écroulé au milieu de la ruelle. Une poussière fine s'en dégage, comme si l'éboulement était récent. L'enfant commence l'ascension. Il tend la main à sa mère pour l'aider. Elle tente de se hisser au travers des pierres qui croulent. Elle trébuche sur l'une d'elles qui glisse, entraîne cailloux et terre, dégage un large espace. Le spectacle en est si atroce, qu'elle couvre les yeux de l'enfant, pour qu'il ne voie pas : une petite main déchiquetée et couverte de sang coagulé, des lambeaux de chair accrochés à la pierre, des morceaux d'étoffe teintés de sang brun, une odeur fétide de corps en putréfaction.

Qui les secourera ? Qui les aidera à oublier ce sang de l'innocence éclatée dans la terre ? Qui les portera au-dessus de cette amertume qui les transperce ? Qui racommodera ces corps sacrifiés, avant même d'être nés ? Qui prendra leurs blessures pour les bander, pour les cautériser, pour leur donner des ailes ?

La peur et l'horreur qu'elle éprouve, décuplent la force de Nour. Elle prend Raja dans ses bras, enjambe les fossés et les espaces. Elle saute d'une masse de boue à un amoncellement de cailloux, portée en avant par une puissance inconnue. Elle touche à peine le sol. Elle vole au-dessus du carnage. L'enfant s'est fait petit, léger. Lui et sa mère essaient de créer un miracle.

Ils atteignent le bout de la ruelle. La femme regarde à gauche et à droite. Aucun signe de vie. Un silence règne, coupé de temps à autre par des salves crépitant en direction du pont. La femme pose l'enfant et tourne à droite. Elle croit reconnaître les lieux. Dans la rue qu'ils viennent de prendre, elle aperçoit une ombre frôlant les murs. C'est une femme habillée en noir, un foulard noir sur ses cheveux gris, des fleurs mauves à son corsage, l'air soucieux et triste. Ils s'approchent d'elle.

- Pourrais-tu nous dire où est la maison de A. ? demande Nour.

La femme indique une direction au-delà des murs et maisons effondrés. Elle murmure :

- Que viens-tu faire ici ? Tout le monde est mort. Elle est peut-être morte, elle aussi.

Puis son ton devient passionné :

- Ça fait bien longtemps qu'on n'entend plus sa voix résonner dans tout le quartier. C'était au temps des jours heureux. Si tu la retrouves, dis-lui de reprendre son chant. Nous en avons besoin. Que sa mélodie retentisse au milieu de ces murs détruits, de ces maisons vides ! Que sa chanson vibre à travers la ville, recolle les morceaux épars !

Elle prend quelques fleurs de son corsage, les tend à l'enfant.

- Tiens ! dit-elle, que vous puissiez arriver ! Ses yeux sont rougis par les larmes. Elle se détourne, se dirige vers le lieu qu'ils viennent de quitter.

Nour et Raja reprennent leur marche dans la direction indiquée. Le chemin est long, l'enfant fatigué. Nour a un pressentiment. Elle se retourne, regarde le monticule qu'ils viennent de franchir. Elle voit la femme en noir soulever les pierres. Elle frémit à la pensée de cette femme, partie à la recherche de... Soudain, un long cri lugubre retentit et glace l'atmosphère, renvoyé de mur en mur, de pierre en pierre. La femme hurle sa douleur et son malheur. Rien n'arrêtera ce cri d'écorchée vive. Rien ne viendra calmer la perte de cette vie à peine ébauchée. Rien n'apaisera cette souffrance de femme qu'on vient de mutiler. Rien ne pansera cette plaie vive.

Nour hésiste. L'enfant a frémi et s'arrête. Il demande à sa mère où aller. Nour accélère et se dirige au travers d'un terrain envahi par des plantes sauvages. Une vieille maison libanaise à demi-détruite apparaît, une habitation avec ses arcades arabes dont la voûte centrale est effondrée. Une partie du toit est aussi abattue, mais la maison semble habitée. Une ampoule nue, allumée comme par miracle, se balance dans le vent, contre un mur rose. Les parois sont noircies par des incendies. Une partie de l'escalier est démolie. Nour se demande comment elle réussira à atteindre l'appartement du dernier étage, celui - elle en est maintenant certaine - de son professeur de musique. Grimper les marches est impossible. Un arbre brisé au niveau du sol, est tombé en travers et barre le passage, là où l'escalier tenait encore.

Elle s'approche du logement du rez-de-chaussée, frappe. Pas un son, aucune voix ne répond. Elle cogne plus fort. L'enfant l'accompagne en tambourinant de toute la force de ses poings fermés. Le silence est angoissant. Nour pousse la porte qui résiste d'abord, puis cède lentement, révèlant un spectacle terrifiant.

Le plafond est à moitié écroulé, et a recouvert les meubles de poussière et de gravats. Ce qui était des chaises et des tables de style arabe - incrustation de nacre, travail sculpté - est devenu bois à brûler. Une lampe se balance, tenue à un fil précaire, accrochée à un bout de plafond prêt à tomber. Le mur est couvert de larges taches de sang auréolées de noir.

Une forme apparaît. Nour surprise, pousse un cri. Elle a de la peine à reconnaître, dans cette femme rabougrie, blanchie, aux yeux hagards, la femme plantureuse et sûre d'elle qui lui donnait des leçons de chant. A sa vue, les yeux de la femme se mettent à briller. Elles s'approchent l'une de l'autre et s'embrassent. Leurs larmes coulent dans l'étreinte.

- Tu m'as retrouvée...
- Cela fait si longtemps que je te cherche. Je ne voulais pas franchir le pont de la mort, avant de t'avoir parlé.
- Viens, allons dans la cuisine. Il me reste quelques morceaux de charbon. Je ferai un café.

L'enfant les observe, puis il s'approche des meubles, découvre une boîte incrustée de nacre, sous les débris de plâtre. Il s'assoit par terre et il tente d'ouvrir le coffret. Sa mère l'appelle :

- Viens ici, ne reste pas seul.

L'enfant se traîne dans le couloir. Il arrive saupoudré de poussière blanche jusque dans les cheveux. Il serre contre son cœur la boîte. Le professeur la remarque et s'écrie :

- Oh ! Quelle chance ! Tu as retrouvé mes cigarettes. Voilà des jours que je les cherche.

Elle a allumé le charbon, rempli la cafetière de l'eau d'une cruche :

- Je n'ai plus de sucre, nous le boirons amer.

L'odeur du café se répand dans la pièce. La mousse monte. La femme est attentive à la préparation, elle parle en remuant la cuillère. Les deux femmes ont le visage rougi par les reflets de la braise. Nour contemple son professeur de chant qui a retrouvé pour un instant, sa spontanéité.

- C'est étrange, je pensais à toi quand tu es entrée. Je me demandais où tu étais et ce que tu faisais.

- Raconte-moi ce qui t'est arrivé pendant toutes ces années. J'étais très inquiète pour toi, n'ayant aucune nouvelle.

- Nous avons vécu des années terribles. Une folie a saisi ce pays à la gorge. Le bâtiment où j'enseignais la musique a été réduit en cendres. Les pianos et les autres instruments ont été saccagés ou pillés. Au début, j'avais décidé de partir. J'ai fait mes bagages avec ma sœur et j'ai franchi la mer, espérant pouvoir refaire ma vie ailleurs, ou du moins, attendre que l'orage s'apaise. Mais je n'ai pas tenu longtemps, car on n'est bien finalement que chez soi, même dans les ravages de la guerre. Et l'on s'inquiète souvent davantage quand on entend des nouvelles de loin. Alors, j'ai refait mes valises et je suis rentrée au pays où une légère accalmie se dessinait. J'ai travaillé pendant un certain temps avec des groupes d'action pour la non-violence. Nous avons organisé des marches dans la ville. J'ai chanté pour la paix. Nous avons brûlé nos cartes d'identité portant nos dénominations religieuses, source apparente de nos divisions - geste symbolique, première page des journaux pour un jour.

La femme verse le café dans de petites tasses. Elle prend la boîte de nacre que Raja a posée sur le sol près de lui. Elle a de la peine à l'ouvrir. Elle en retire un paquet de cigarettes écrasé.

- Elles n'ont probablement plus de goût. Mais tiens,

prends en une. C'est un signe d'espoir que ton fils ait découvert cette boîte.

Les deux femmes fument lentement en buvant le café par petites gorgées. Un monde revient à leur mémoire : la terrasse d'une vieille maison de montagne, la contemplation de Beyrouth scintillant dans le lontain, les villages rayonnant de mille feux, les projets d'avenir, les discussions passionnées, les sentiments de paix et d'espérance qui les remplissaient alors. Comment ces lumières avaient-elles pu être remplacées si rapidement en engins de guerre et de violence ? Comment cette sérénité avait-elle pu se métamorphoser en monstrueuse hostilité ?

- Parle-moi de ta vie, réclame Nour. Tu ne m'as jamais rien dit de toi. Qu'est-ce qui t'a amené à faire une carrière musicale ? Comment se fait-il que tu ne te sois jamais mariée, toi si belle et si pleine de talent, d'enthousiasme, et d'une générosité toujours égale malgré les succès - tu as la réputation d'être une de nos plus grandes chanteuses et tu es aussi très appréciée à l'étranger ?

- Tu es gentille de me dire celà. Oh ! tu sais, ma réussite n'est pas si extraordinaire. J'ai eu de la chance. J'avais une voix, je l'ai développée par le travail, la discipline, les exercices, et surtout, surtout l'amour de la musique. Mais tu connais nos coutumes : une femme qui réussit, effraie, surtout dans une profession artistique. Mes parents auraient voulu que je me marie. Ils me présentaient des prétendants que je refusais, poussée par l'instinct de vivre autre chose, de réaliser un absolu, une passion. Je désirais aussi rencontrer une passion amoureuse qui aurait peut-être abouti à un mariage. Je rejetais les conventions. J'aspirais à aller très haut, en art comme en amour. C'est un état difficile à atteindre et à maintenir, et ce que l'on réussit d'un côté l'est souvent au détriment de l'autre, pour une femme surtout. Presque toujours dans notre société, la femme est obligée de sacrifier quelque chose. Elle doit toujours se plier quelque part.

La femme soupire en parlant. Les cendres se sont répandues sur sa robe, se mêlant à la poudre du plâtre.

- J'ai toujours senti que tu souffrais, qu'il y avait, quelque part en toi, quelque chose qui cherchait à s'envoler et qui étouffait lentement. Lorsque tu chantais, cette détresse

69

se transformait en beauté. Alors tu grandissais, ta taille s'élançait, tes yeux s'allumaient et s'agrandissaient. Tu semblais avoir atteint la condition dont tu parles. Comme je t'admirais alors ! Comme j'avais envie de t'imiter et de vivre cet état avec toi !

- Oui, c'est un état de grâce. On ne peut pas toujours être en état de grâce. C'est comme l'amour - l'amour est aussi un état de grâce. Je le connais, car je l'ai vécu une fois dans ma vie. Mon père était mort. C'était moi qui subvenais aux besoins de la famille à l'époque. Je ne gagnais pas beaucoup - le métier d'artiste ne rapporte guère dans ce pays. Mais j'obtenais suffisamment pour aider ma mère, et quelquefois ma sœur qui, ayant des problèmes maritaux, habitait souvent chez nous. J'ai rencontré un homme, je l'ai aimé passionnément. C'était un grand amour platonique qui me portait au-dessus du temps et du quotidien, dans une sorte d'extase proche des moments où je chantais. Il voulait se marier, mais j'hésitais, à cause de ma mère dont j'avais la charge, mais aussi parce que je sentais que je devrais briser ma carrière pour me consacrer à lui et à sa vie. J'ai laissé le temps passer. Il s'est lassé. Il est parti pour l'Amérique du Sud en disant qu'il reviendrait me chercher. Il n'est jamais revenu...

Sa voix se brise :
- Des nuits entières, j'ai pleuré dans les nuits étoilées de notre pays du temps passé. J'ai versé des larmes qui l'appelaient à travers l'océan. J'ai sangloté sur un retour auquel je ne croyais plus. J'ai crié son nom à travers l'espace. Le calme, petit à petit s'est refait au fond de moi... Quelle passion de misère ! Quand j'y pense maintenant, je me demande comment j'ai pu vivre tant de silence après tant d'émotions. J'ai parcouru de longs trajets de souffrance à l'intérieur de moi-même. J'ai compris que la douleur conduit à de grandes plénitudes. Je suis parvenue à un autre état de grâce et de foi qui m'aide à vivre aujourd'hui, quand tout s'effondre autour de nous. La foi est aussi un état de grâce, tout comme l'amour. Mais c'est un autre sujet. Je veux d'abord terminer mon histoire personnelle.

Elle rallume une cigarette. Nour l'écoute. Même Raja

70

semble pris par le récit et regarde les deux femmes trans-
portées dans un autre monde.

- Ma mère est morte. Tu seras peut-être surprise, mais
sa mort a résonné en moi comme une libération. A qua-
rante ans, se dire : enfin, je suis libre ! C'est étrange et triste,
mais c'est vrai. Je dois exprimer toute la vérité, sans masque, sans hypocrisie, mais aussi sans pudeur. On a tellement
peur, dans notre société, de parler de ces choses. On n'ose
pas dire combien la famille pèse sur l'individu et entrave
son autonomie, son esprit d'indépendance. A la mort de ma
mère, j'étais triste bien sûr, car je l'aimais beaucoup. J'ai
fait une longue marche dans la montagne. Je respirais l'air
à pleins poumons, et je me sentais légère comme la brise.
Je m'envolais ce jour-là. Je crois que j'aurais pu m'élancer
du rocher surplombant la vallée et tenir l'air, voler jusqu'à
la mer. Tu as déjà eu ce sentiment de pouvoir déployer des
ailes comme l'oiseau ? Que rien n'est impossible, qu'il te
suffit de vouloir pour y arriver ? C'était plus puissant que
lorsque je chantais, et subitement je me dépassais tellement
que je n'étais plus moi-même, que ma voix ne m'apparte-
nait plus, mais qu'elle faisait partie de toutes ces voix mer-
veilleuses qui m'avaient précédées et qui me succéderaient.

- Tu t'es souvenu de lui ce jour-là ?
- Non, je n'ai pas pensé à lui. C'est drôle que tu me
poses cette question. J'aurais dû me dire que j'étais enfin
libre de le rejoindre, mais l'idée ne m'a pas effleurée. Je
crois qu'en lui, j'avais aimé l'amour. Mais l'avais-je vraiment
aimé, lui ? Son souvenir me semblait si lointain ! Non, ce
jour-là, je n'ai songé qu'à ma liberté. Et c'est ce chant-là
que j'ai chanté :

Je veux vivre pour effacer la peur
Je veux vivre pour effacer la haine
Pour apprendre à ma sœur à relever la tête
Etoile renaissant de la cendre des ruines

La mélodie s'élève dans la cuisine. Elle s'enfle
progressivement :

Marchons ensemble pour effacer la peur

71

Marchons ensemble pour effacer l'oubli
Amour nous permettant de tout recommercer

La femme s'est redressée lentement, soulevée par le chant qui la pénètre. Elle se tient debout, les bras tendus vers le plafond à moitié effondré, les doigts ouverts d'espérance, la poitrine projetée vers l'espoir. Tout le quartier est empli de la mélodie qui traverse murs écroulés, corps enterrés, poussière de la cendre, sang séché et coagulé des pierres :

Je t'aime brillant des feux de la nuit
Je t'aime pour ta foi dans un monde meilleur
Je t'aime pour tes meurtrissures injustes
Je t'aime pour les larmes que tu montres
caresse de ton épaule blessée

Le chant résonne dans l'espace, soulève les ruines du quartier qui revit. Il éteint la canonnade qui grondait quelque part. Il couvre le crépitement des balles qui arrivaient par rafales. Il brise le son des mitrailleuses. La haine et la violence sont remplacées par l'amour, la tendresse et l'harmonie d'un chant mélodieux et serein.

– J'aimerais que ton chant m'accompagne jusqu'au pont et au-delà de la ligne de démarcation, dit Nour. Si ton chant marche avec moi, j'aurai la force d'aller jusqu'au bout. Je suis certaine que ton chant peut raccommoder les antagonismes de ce pays, que ta voix peut rapiécer les divisions.

– Prends-le avec toi. Je te le donne. Elle continue :

Comment reconstruire sur des morts ?
Comment oublier tous ces corps ?
Comment arracher la haine plantée ?
Sauras-tu le dire ?
Sauras-tu l'écrire ?
Sauras-tu tracer les lignes de la mémoire ?
« Je t'aime et des hommes meurent »

– Remplis-toi de mon chant, qu'il t'accompagne. Je vous suivrai en pensée. Je te conseille de passer la nuit. Il se fait tard. L'enfant est fatigué. J'ai des boîtes de conserves. Nous mangerons ensemble et continuerons notre conversation. Ta venue m'est d'un grand réconfort. Tu dis que mon chant t'aide, mais ta présence ici m'a donné non seulement la force de le reprendre, mais aussi l'espérance d'une vie renaissant des cendres, et la vision d'autres voix, d'autres chants, d'autres marches prêtes à se joindre à nous pour former la trame de notre futur.

Des sanglots couvrent sa voix. Nour la regarde et ne peut s'empêcher, elle aussi, de pleurer. Les deux femmes s'embrassent, mêlant leurs larmes. Raja s'approche d'elles, s'accroche à leurs robes, entourant leurs jambes de ses bras. La femme se détache de l'étreinte :

- Allons, allons, du courage ! Tu verras, le soleil reluira sur ce pays. Nous allons vers le printemps.

Elle ouvre une armoire dont les battants sont criblés de balles :

Qu'avez-vous envie de manger ? J'ai des petits pois, des haricots, du thon et des sardines.

- Des sardines, des sardines, dit Raja.

- Il nous reste encore du pain, remarque Nour, et même des manaïches. Ça ira bien avec les sardines.

- Oui, un festin, s'exclame la femme.

Elle sort des assiettes, des couteaux, des fourchettes, et pose la cruche d'eau sur la table.

- Il faut ménager l'eau. Il ne m'en reste que très peu, et celle qu'on trouve est presque toujours polluée.

- Je peux en boire ? demande Raja. J'ai très soif.

Nour tient la gargoulette et lui donne à boire du liquide si rare et précieux.

- Quand on pense que ce pays était la terre des sources et des rivières !

- Oui, ajoute la femme. Le jour n'est pas loin où les fleuves à nouveau déborderont et appaiseront des habitants prêts à se réconcilier.

- Ce jour-là, la terre éclatera et les fleurs sortiront de partout. Nous en ferons des colliers et des bouquets.

- J'irai en poser un sur le tertre où est tombé l'enfant, dit Raja.

A ces mots, Nour tressaille et pense au barrage qu'ils viennent de franchir.

- Il voit tout. Il remarque tout, se dit-elle. Même quand je ferme ses yeux, il voit.

Najmé hésiste. Doit-elle parler à cette femme, son professeur, de son problème ? Que peut-elle, de toute façon ? Najmé a honte de son état. Au fond d'elle-même, elle se sent esclave de la drogue et aimerait en être libérée. Elle admire Hayat qui semble s'être affranchie d'un autre joug. Peut-être pourra-t-elle l'aider. Najmé perçoit profondément sa servitude à sa famille, à son entourage, à son milieu, à la guerre, et maintenant à la drogue qui ne la laisse plus en paix.

Ses pas la conduisent dans le couloir menant à l'appartement de Hayat qui l'attire, parce qu'elle semble avoir résolu certains problèmes auxquels elle s'identifie. Elle hésite une dernière fois devant la porte. Elle frappe, puis sonne timidement. Hayat ouvre et sursaute lorsqu'elle aperçoit Najmé : un œil poché, l'intérieur injecté de sang. Najmé avait oublié sa condition. Lorsqu'elle voit l'expression de Hayat, elle porte la main à son visage :

- Oui, j'ai eu un terrible accident. Je suis venue m'excuser de mon absence prolongée.

- Entrez, entrez, dit Hayat. Je suis heureuse de vous voir Najmé. J'étais inquiète pour vous.

Najmé entre et s'assied sur le sofa. Elle porte un jeans très serré qui moule son corps menu et amaigri. Son tee-shirt blanc fait ressortir la pâleur de son visage, la noiceur et le sang de l'œil. Les marques de la drogue et de l'accident ont défiguré ses traits. Hayat l'observe brièvement :

comme elle a changé en quelques mois ! Ses yeux sont éteints et le seul détail coquet de son vêtement est le petit foulard de soie décoré de papillons qu'elle porte autour du cou.

- Vous voulez un café ? demande Hayat. J'allais justement en faire. L'eau est chaude.

- Merci, dit Najmé, mais je prendrai de l'eau seulement, de l'eau fraîche avec beaucoup de glace.

Elle se lève pour se servir. Hayat est heureuse de cette familiarité et de la spontanéité de Najmé présente dans ses pensées pendant les semaines où elle avait disparu. Elle avait été prévenue de sa condition. Elle s'était demandée si elle arriverait à l'aider.

Elle prépare un Nescafé, pendant que Najmé remplit son verre d'eau en y ajoutant des glaçons. Puis elles retournent vers le sofa. Najmé allume une cigarette. Ses doigts frémissent, ses yeux abattus fixent la pointe de la cigarette. Elle hésite avant de se confier. Elle regarde Hayat qui lui sourit :

- Vous avez eu un accident ? Etait-ce grave ?

- Oui, j'ai failli mourir, mais j'ai été épargnée. Dieu m'a sauvée. C'était un avertissement. Tout le monde me le dit. Ma vie doit changer. Je ne peux pas continuer comme ça.

Elle tremble en parlant. Hayat l'encourage à continuer :

- Etait-ce une collision de voiture ?

Najmé bégaie :

- Je... dois... vous... dire : je me dro... gue... drogue à l'héroïne.

Ces mots éclatent comme une bombe. Hayat ne l'ignorait pourtant pas, mais de l'entendre dire de cette façon aussi désespérée, est bouleversant.

- J'étais au courant, Najmé. Je savais que vous vous droguiez. Comment est-ce arrivé ?

- Au début, je, nous ignorions l'effet de l'héroïne. Nous, c'est-à-dire la jeunesse libanaise. Je, nous voulions tout essayer. La guerre commençait et la drogue est arrivée avec. Nous avions déjà fumé du hachisch, comme les hommes de ce pays. Nous pensions que l'héroïne était un peu plus forte, avec les mêmes effets. Nous n'étions pas conscients que cette poudre pouvait nous enchaîner. A présent...

Elle baisse la tête en parlant :

- Maintenant, je ne peux plus m'en passer. Oh, j'ai

essayé. J'ai déjà été désintoxiquée trois fois. Ma famille m'a envoyée aux Etats-Unis, en France et en Suisse. J'ai suivi toutes les étapes horribles de la cure. Chaque fois, je revenais ici, je retrouvais la guerre, mes amis, la poudre, et je recommençais...

Le ton de sa voix est devenu pathétique. La femme l'écoute avec émotion et intensité. Tout le drame de la crise et la jeunesse de son pays est incarné dans cette belle jeune fille devenue épave. En s'exprimant, elle laisse tomber les cendres de sa cigarette sur le tapis. Elle en allume une autre et continue :

- Maintenant, il faut que je m'en sorte. Il faut que j'arrête, car je sais que je vais à la mort. Cet accident était un avertissement. J'étais complètement défoncée, j'avais pris une dose de trop. C'était un soir de bombardement. J'ai conduit très vite, sans regarder à droite et à gauche. Une voiture m'est rentrée dedans à un tournant. Ma voiture a été entièrement démolie. Comme par miracle, je suis vivante. J'ai passé deux semaines à l'hôpital. Je sais que c'est ma dernière chance.

Elle répète des mots qu'on a dû lui rabâcher. Elle le fait machinalement, comme pour s'en convaincre. Que ressent-elle profondément ? La femme l'interroge :

- Comment allez-vous y arriver, Najmé ? Comment et où trouver la force d'en sortir ?

Hayat a mis le doigt sur la plaie. Najmé pousse un long soupir.

- Je l'ignore... Je vais vous avouer un secret parce que je vous fais confiance : je triche avec moi-même et je mens à ma famille. Je n'ai pas vraiment envie d'arrêter. D'un côté, j'en suis incapable, et d'un autre, je ne le désire pas vraiment. A l'hôpital, tout le monde était persuadé que j'avais arrêté, y compris les médecins. Mais des amis m'en apportaient, même à l'hôpital. Et maintenant, des amis m'attendent dehors pour m'en donner. Je serai bien blindée pour les bombardements de ce soir.

Elle tousse en gémissant :

- Et pourtant, il faut que je change. Je ne peux pas continer comme ça. Voyez comme mes mains tremblent, et je n'arrive pas à réfléchir clairement.

Hayat l'écoute, soucieuse, cherchant un moyen efficace pour l'aider :

- Il faut que vous vous donniez un but, Najmé, quelque chose qui vous intéresse vraiment, vous accapare totalement - une œuvre à réussir à tout prix. Que cela devienne le centre de votre vie. Vous aurez besoin d'une force pour aller vers cet objectif. Vous ne pourrez pas y arriver toute seule. Il vous faudra une aide professionnelle et amicale. Comptez sur moi pour l'amitié, mais il est nécessaire qu'un médecin vous suive.

- J'ai un médecin. Il y a plusieurs spécialistes qui s'occupent de moi, mais je les trompe tous.

Elle semble lasse, fatiguée d'avoir parlé. Hayat poursuit :

- J'aimerais que vous racontiez votre histoire, Najmé. Voulez-vous écrire tous les jours une page ou deux sur votre condition, sur ce qui vous a conduite à cet état, et comment vous comptez vous en sortir ? Même si vous n'en avez pas envie, j'aimerais que vous vous forciez à écrire un peu tous les jours.

Najmé ne répond pas. Elle est triste et angoissée. Regrette-t-elle l'élan qui l'a poussée à se confier ? Peut-être n'est-ce qu'un abattement passager. Elle demande :

- Puis-je utiliser vos toilettes ?

Hayat les lui indique. Puis elle range un peu la pièce, en réfléchissant au problème qui vient de lui être confié. Saura-t-elle aider Najmé, et à travers elle, les autres jeunes de son pays qui ne se droguent peut-être pas de la même façon, mais qui voient leur horizon bloqué, leur pays détruit par des forces face auxquelles ils sont impuissants - tous ceux qui s'enfoncent dans le désespoir ? Comment amener Najmé à cesser de se détruire ?

Elle s'éternise dans le lavabo, et Hayat a le net sentiment qu'elle est en train de se faire un fix. Quelle déception ! Comment a-t-elle l'audace d'en reprendre si vite, alors qu'elle vient d'annoncer qu'elle cherchait à s'arrêter ? Va-t-elle lui mentir à elle aussi ?

Hayat est prise d'angoisse. C'est la première fois qu'elle se trouve impliquée dans une question de drogue. Elle se demande si elle aura la patience d'aller jusqu'au bout. Avant de revenir au Liban, elle était consciente de certaines difficultés, des risques d'être tuée, de la confrontation avec la mort, mais elle ne se doutait pas de ce ravage. La mort dans les cœurs lui est beaucoup plus douloureuse que celle déchaînée dans la rue, et la tâche de secourir ceux qui se démolissent intérieurement, plus ardue que de soigner des blessés atteints par les mitraillettes.

Que peut-elle vraiment face à ces deux démences ? Et que peut-elle devant cette porte, cette barrière que Najmé vient de mettre entre elles. Elle a envie de l'enfoncer, d'exiger qu'elle ne prenne jamais de la drogue chez elle. Mais elle sent une telle réaction prématurée. Elle doit d'abord gagner la confiance de Najmé. Après tout, elle lui a expliqué son conflit - vouloir et ne pas pouvoir s'arrêter, se mentir à elle-même et aux autres, même ses plus proches. Il lui faudra tant de patience pour qu'elle s'ouvre progressivement à elle.

Najmé sort joyeuse et légère. Elle s'est passé du rose sur les lèvres et du rouge aux joues. Elle a mis des lunettes de soleil qui cachent son œil poché.

- Merci de m'avoir écoutée. Je vais suivre vos conseils. Je vais écrire quelques pages tous les jours et parler de mon expérience, de ce qui m'est arrivé. Je peux revenir vous voir ? Puis-je repasser demain matin déjà ? Je vous apporterai des croissants pour le petit déjeuner et je vous montrerai ce que j'ai rédigé.

Hayat est ravie de l'enthousiasme de Najmé, de sa spontanéité, de sa générosité. Réussira-t-elle à créer un climat de confiance tel que Najmé ne mentira pas ?

- Bien sûr, Najmé, venez me voir quand vous le voulez, demain si vous le pouvez, et si vous avez quelque chose d'écrit à me faire lire. Surtout, travaillez à votre journal tous les jours, même si vous n'en avez pas envie. Je reverrai ce que vous avez écrit. Nous le corrigerons ensemble, et nous en parlerons. Puisse cela vous aider à trouver la solution de votre mal.

Le lendemain et les jours suivants, Najmé ne revint pas. Un après-midi que Hayat corrigeait un article, on sonna. C'était une jeune femme - élève de la classe - avec laquelle Najmé parlait souvent.

- Je suis venue vous apporter le devoir de Najmé. Elle ne viendra plus. Son frère l'a emmenée à l'étranger pour une cure de désintoxication. Elle m'a donné ces pages pour vous. Elle m'a demandé de vous dire qu'elle pense à vous et qu'elle espère vous revoir un jour.

La voix de la camarade se met à trembler, les larmes coulent sur ses joues :

- Je pensais pouvoir l'aider, tout au début. J'étais fascinée par sa joie de vivre. Tout l'intéressait et elle s'enthousiasmait pour des riens. De plus, elle débordait de gentillesse et de générosité - qualités qu'elle a toujours gardées. Nous sortions dans le même groupe et on nous a offert de l'héroïne. Nous fumions souvent du hachich. J'ai eu comme un pressentiment que cette poudre pouvait me détruire, et j'ai refusé. Mais Najmé était une extrémiste. Elle voulait tout essayer. Elle disait que ce n'était qu'en risquant tout, qu'on arrivait au bout de soi-même... Et regardez, voyez ce qu'elle est devenue...

Elle tend des pages jaunes à Hayat. Les feuilles sont brûlées par des trous noirs de cigarette. L'écriture est à peine lisible. En grosses lettres, le titre, en rouge, a été souligné deux fois : **LE CERCLE**.

- Entrez, dit Hayat.

- Je regrette, ce n'est pas possible. Il se fait tard, et bientôt ce sera imprudent d'être dans la rue. Déjà maintenant, vous entendez ?

Sa phrase se termine dans un coup de canon rapproché.

- Nous allons avoir une nuit infernale.

- Alors, repassez un autre jour quand vous le pouvez. J'aimerais beaucoup parler avec vous.

- Oui, oui, aquiesce-t-elle en descendant les escaliers et en essuyant ses larmes.

Au fil des jours qui lui restent à passer dans le pays de son enfance, Hayat lit et médite sur la composition de Najmé. Souvent, les larmes coulent lentement sur ses joues, en parcourant certains passages. Elle corrige des phrases, ajoute des mots, ici et là. Elle écrit des poèmes dans la marge du devoir, en pensant à la belle jeune fille qu'elle n'a pas pu aider. Elle s'identifie à sa souffrance et, à travers elle, à la détresse de la jeunesse de son pays.

- J'aimerais que tu me racontes comment tu as vécu la guerre, demande Hayat à Adnan.

Ils sont assis à la terrasse du café Movenpick de la rue Hamra. C'est midi, le soleil brûle la rue animée, passants pressés, taxis qui klaxonnent, voitures qui se cognent, marchands qui appellent les clients.

- Tu me poses toujours la même question, s'étonne Adnan.

- J'aimerais comprendre, arriver à sentir ce que tu as vécu.

- C'est douloureux ! Ne comprends-tu pas que c'est déchirant d'en parler ? Je préférerais oublier, ne plus y penser. C'est tellement pénible et angoissant. Ça me crispe et m'empêche d'aller de l'avant.

En parlant, il ouvre son paquet de tabac et remplit nerveusement sa pipe. Hayat le regarde avec tendresse.

- Je te le demande parce que j'aimerais arriver à comprendre ce que toi, et les autres Libanais, avez vécu. Je répète, j'en ai la conviction : ce n'est qu'en allant au fond des problèmes qu'on trouvera des solutions. Tu dois me raconter, même si ça te fait très mal. Ce n'est pas en te cachant la vérité que tu te consoleras. Au contraire, en la regardant en face, tu pourras peut-être la dépasser.

- Tu ne comprends pas. Il y a des choses que je préfère oublier, des expériences horribles, reflets de nos dilemmes insolubles. Les faire revivre ne fera qu'accentuer la gravité d'une situation, à mon avis, irréversible et incurable...

Il réfléchit longuement :

- Ecoute ! Je veux bien tenter de les évoquer. Je vais te donner un exemple. Mais d'abord, commandons une boisson forte pour me donner du courage, et aussi, quelque chose à manger.

Il lui tend la carte :

- Je prendrai un bloody-mary et un club-sandwitch.

- Je prendrai la même chose, dit Hayat. Je vois qu'on est toujours américanisé à Hamra. Pourtant, quand on marche dans le quartier, on a l'impression que ça s'est beaucoup arabisé au cours de ces dernières années. Mais peut-être pas arabisé dans le bons sens, parce que je crois qu'il y a une arabisation nécessaire et positive.

- Explique-toi.

- Le retour, ou plutôt l'affirmation d'une identité arabe est, je pense nécessaire et positive, surtout pour un peuple longtemps dominé et écrasé par le colonialisme. Mais quand cette identité signifie le retour à des valeurs périmées - l'oppression de la femme, ou de l'homme d'ailleurs, le fanatisme religieux ou politique - je trouve ça effrayant et dangereux. L'autre jour, je suis descendue dans la rue avec un jean serré. Les regards des hommes m'ont tellement indisposée que je suis rentrée pour me changer. On a l'impression qu'il faudra bientôt se voiler pour pouvoir marcher dans la rue en paix. Ça n'existait pas avant la guerre. On a la sensation que toute la rue est contre soi. Ce n'est plus comme avant. Je me souviens d'un incident d'avant la guerre. Je revenais de la plage. Je portais une robe très courte - c'était la mode des mini-jupes - et j'avais un sac avec des serviettes et maillots mouillés en bandoulière. Un homme s'est approché et m'a pincée. Ça m'avait tellement excédée que j'avais pris mon sac et je lui en avais asséné un coup sur la tête. Tous les boutiquiers de la rue étaient sortis et avaient craché en signe de désapprobation contre cet homme. J'ai l'impression que maintenant, si l'épisode se renouvelait, tous les boutiquiers sortiraient pour me cracher dessus.

- Plutôt, ils ne feraient rien de tout ! Ils ont peur. Je ne crois pas que l'esprit d'indépendance et de liberté propre à la mentalité libanaise ait changé. Mais la guerre et le déchaînement de la violence ont rendu les gens inquiets, leur font craindre de prendre position. Ils risquent leur peau. C'est normal qu'ils se retranchent dans leur boutique. Mais je doute qu'ils approuvent ce qui se passe. Comme tu vois, cette rue, à l'image de ce pays - croisée des cultures et civilisations - est encore un mélange d'Orient et d'Occident. J'aurais très bien pu commander de l'arak et du hoummos. Ce qui se passe dans la rue, avec ces hommes dont tu as parlé, est indépendant de la volonté et des désirs profonds des Libanais. J'en suis persuadé. L'esprit de démocratie, de tolérance des différences, le mélange des cultures, existent toujours, mais sous une forme latente. Un jour proche, toutes ces valeurs ressurgiront des cendres.

La voix de Adnan est pleine d'émotion. Hayat en est toute remuée. Elle le regarde à travers la fumée de la pipe. Leurs yeux se remplissent de larmes. Hayat lui prend la main à travers la table.

- Raconte-moi ce que tu préfères oublier. Je veux savoir, sentir avec toi.

Adnan la regarde en tirant sur sa pipe. Puis, il fixe un point lointain, au-delà de leur lieu, au-delà de leur lien, au-delà de leur temps. Il boit le liquide rouge-doré en silence. Il revient vers elle. Sa voix arrive de loin, très loin.

- J'ai été arrêté un jour à un barrage. Je traversais la ville, comme tous les jours, pour me rendre à mon travail. C'était une période dans laquelle on kidnappait, assassinait, démembrait, brûlait... et tout ça, pour la dénomination religieuse de la carte d'identité. Si une barricade chrétienne en voulait aux musulmans ce jour-là, ou si une milice musulmane en voulait aux chrétiens, alors tout pouvait se passer : arrestations, disparitions, tortures, cadavres ou morceaux de corps retrouvés plus tard, quelque part... Ce jour-là, j'ai été capturé et conduit les yeux bandés le long d'un chemin qui n'en finissait plus, jusqu'au sous-sol d'une maison. On m'a jeté par terre, battu. J'ai perdu connaissance. Quand je me suis réveillé, on m'a traîné dans une salle de torture. On m'a roué de coups pour me soutirer des informations, que je ne possédais évidemment pas, puisque je n'ai jamais adhéré à aucun groupe politique.

Sa voix se met à trembler :
- Je n'ai pas le courage de continuer... C'est un sup-

plice d'en parler, et je ne veux pas jouer les accusateurs. Ma douleur n'est pas politique, ma douleur est humaine.

- Qu'est-ce qui t'a le plus écorché dans cette affaire ?
Adnan hésite longuement :

- J'étais là, un homme face à d'autres hommes. Je n'avais jamais pris parti, ni pour les uns, ni pour les autres. J'essayais de mener ma vie le mieux possible dans les circonstances présentes : faire mon travail consciencieusement, aider ceux que je pouvais, élever mes enfants tout seul, sans griefs à l'égard de leur mère qui avait déserté, n'en vouloir à personne, et surtout ne pas entrer dans les luttes fratricides. J'étais donc là, devant ces hommes qui m'en voulaient à cause d'une religion que je ne pratiquais pas, et qui me laissait indifférent. Si j'avais pu me dire : je souffre pour une cause valable - le sang qui coule venge un autre sang répandu ailleurs - alors, j'aurais peut-être pu accepter. J'aurais été comme les autres. Dans cette guerre, tout le sang qui coule est un sang de vendetta pour sauvegarder l'honneur des tribus. Moi, je n'ai jamais accepté ce système.

On m'a jeté à terre et torturé. On m'a mutilé sauvagement, et je me suis évanoui. Je me suis réveillé, apercevant comme dans un brouillard, les visages de mes bourreaux riant de mon humiliation. Mon sang coulait à flots, et pour rien. J'ai pensé à mes enfants : que deviendraient-ils sans moi ? Qui s'en occuperait ? Et j'ai pensé à ma mort. Je la sentais proche. On me l'a annoncée. On m'a dit que j'allais être fusillé avec d'autres otages, que si je savais quelque chose, je devais le dire tout de suite, que si je connaissais quelqu'un de l'autre côté, je devais envoyer un message pour leur demander de me sauver. J'ai compris que si les autres relâchaient leurs otages, il y avait une faible chance que je m'en sorte. J'étais épuisé par la brutalité des coups et la mutilation. Ma blessure n'arrêtait pas de saigner. J'étais sous le choc. Je me suis encore évanoui. On a dû me tirer dans une autre pièce. Je suis resté là, je ne sais combien de temps. Lorsque je me suis éveillé, j'ai senti une douleur dans mon bas-ventre. Je suis retombé dans le coma. Je ne sais combien de fois cela s'est produit. J'étais dans un état de demi-conscience. Je pensais à mes enfants, à leur détresse, à l'absurdité de ma mort... Heureusement, je ne te connaissais pas à l'époque.

Hayat l'a écouté avec douleur. Elle peut à peine contenir son émotion :

- Ça aurait été plus dur ?

- Oui beaucoup plus. Maintenant, je tiens davantage à la vie, car c'est la plénitude d'un partage dans une compréhension mutuelle.

Hayat est très émue. A grand peine, elle retient ses larmes.

- Mais tu es vivant. On t'a relâché. Qu'as-tu fait en retrouvant la vie, la ville, tes enfants ?

- Lorsqu'on est venu à nouveau me chercher, en me bandant les yeux, j'ai senti que j'étais peut-être sauvé. Car pourquoi me masqueraient-ils pour me fusiller ? Il y avait au fond de moi comme un étrange détachement. Je ne savais pas où on me conduisait, mais cela m'était égal. Je méditais sur ces hommes armés, et sur ce qui avait pu les pousser à ce sinistre travail. Avaient-ils eux aussi, des enfants à nourrir ? Comment pouvaient-ils les aimer et faire l'amour à leur femme après m'avoir frappé, torturé et mutilé ? J'aurais voulu pouvoir leur poser des questions, mais je me sentais trop faible. J'avais mal partout, et je n'arrivais même pas à ouvrir la bouche.

On m'a finalement abandonné au bord d'une route. J'ai réussi à faire signe à une voiture. Elle s'est arrêtée. Le chauffeur voulait me transporter à l'hôpital. Je n'avais qu'une envie : revoir mes enfants. Je lui ai demandé de me conduire chez moi. En arrivant, j'ai pris mes enfants dans mes bras et j'ai tout oublié. J'ai à nouveau perdu connaissance. Je me suis retrouvé, une serviette mouillée sur le front, ma fille à mon chevet. Elle m'a souri. Mon fils m'a apporté un verre de limonade avec du citron frais qu'il venait de presser. J'ai eu la sensation d'être au paradis. Je me suis endormi pendant très longtemps.

Hayat l'écoute, songeuse :

- Ils t'ont posé des questions ? Leur as-tu parlé ?

- Ils ont vu mes blessures et le sang sur mes habits. Ils m'ont demandé ce que c'était. Je leur ai dit que j'avais eu un accident de voiture. D'ailleurs mon automobile avait bel et bien disparu, et je ne l'ai jamais retrouvée... Je ne leur ai pas raconté ce qui m'était arrivé. J'espère qu'ils ne l'apprendront jamais. Cette guerre, la maladie et le départ de leur mère les ont assez traumatisés... Et puis, je voulais oublier. J'ai recommencé à traverser la ville et à franchir les barrages, comme si de rien n'était, comme si je n'avais jamais été arrêté, battu, mutilé...

« C'est la première fois que j'en parle. J'aimerais effacer tout ça de ma mémoire, à tout jamais. J'ai fait des cauchemars pendant très longtemps. Je criais. Je me tordais de douleur dans mon sommeil. Encore maintenant, il m'arrive de faire des rêves angoissants dans lesquels j'aperçois les visages de mes bourreaux. Pendant la journée, je retrouvais un masque d'indifférence, une attitude de « la vie est comme ça, on n'y peut rien ».

Adnan s'est tu. Hayat le regarde sans rien dire. Elle est sous le choc de sa confidence. La rue semble figée dans la chaleur de midi et dans l'histoire de ce couple attablé qui se parle. Elle ressemble à tant d'autres histoires jamais dites, jamais écrites, jamais révélées, de cette guerre à l'horreur sans nom. Hayat médite douloureusement. Elle n'arrive ni à poser des questions, ni à réagir à ce qu'elle vient d'entendre. Les muscles de son corps et les fibres de sa peau sont tendus, douloureux, comme si elle venait d'être battue, comme si c'était elle qui avait été jetée à terre, et mutilée.

Ils restent accoudés à la table, un temps qui semble une éternité. Hayat a la gorge nouée. Adnan tire sur sa pipe, en fixant un point éloigné dans le temps et dans l'espace. Elle le regarde longuement, avec tendresse. Elle ne peut rien dire. Les mots, les phrases qu'elle essaie de formuler paraissent vides, face à cette plaie vive que Adnan vient de lui montrer. Elle lui prend la main, à travers la table et elle la sert contre son cœur qui bat très fort. Il ne dit rien. Il presse ses doigts entre les siens.

Puis, conscient que d'autres les observent, il se lève, paie l'addition, et la raccompagne chez elle. Ils marchent en silence, dans la chaleur de midi, comme écrasés par le soleil tragique de leur pays défiguré.

Arrivés à la porte de son appartement, il lui prend la tête entre ses mains :

- Je ne pourrai pas rester. Un travail urgent m'attend.

Elle ne put lui murmurer qu'un « je t'aime », dont la signification la surprit comme une découverte. Ils se contemplèrent interminablement dans le silence de leur amour. Elle rentra chez elle, et elle écrivit.

Les oiseaux ont perdu leurs ailes et leurs voix. Ils ont été tués et mutilés à chaque coin de rue, à chaque barrage, à chaque croisée des routes. Chaque mot fanatique a fait son orphelin. Chaque cri de victoire dogmatique a arrosé la terre de fiel. Chaque coup de canon, chaque rafale de mitrailleuse a troué ce qui restait d'espoir, grand linceul de lambeaux.

L'homme et la femme ne peuvent plus s'unir que dans le sang. Leur lit est une rivière rouge de ressentiment et de haine. L'homme sème dans la femme son germe de violence et la femme engendre les bourreaux de demain. Leur maison est un monceau de mensonges. Dans leur jardin, poussent les fruits de la colère.

La terre devient champs de barbelés. L'homme croit la posséder, comme il s'imagine détenir cette femme qu'il pénètre sans amour. Son sexe devenu fusil, sa mitrailleuse-pénis entre, marche, pénètre, éjecte, tout un va-et-vient d'illusions et de désolation.

La femme qui caresse le sexe de son petit garçon, avec la fierté et l'orgueil tribal - avoir engendré celui qui sauvegardera l'honneur de sa maison - caresse l'arme qui demain tuera, qui demain reprendra le cyle de violence, qui demain la fera pleurer et hurler de douleur.

Hayat écrit, écrit toujours à la lumière d'une lampe luxe, l'électricité ayant été coupée. Elle médite sur sa vie passée et future. Elle croit qu'avec Adnan, ce sera différent, qu'ils arriveront à franchir tous les ponts, grâce à leur amour, qu'ils dépasseront ensemble la ligne de démarcation - espace artificiel et meurtrier créé par la folie des hommes - qu'ils prendront les caillots de sang pour en faire des fleurs, qu'ils ramasseront les cendres de leur pays ravagé pour en reboiser de cèdres, les collines noircies d'incendies et de viols. Elle est convaincue que l'amour fera éclore tous ces miracles.

Elle exorcise les souffrances de son passé, en les confiant à son journal. Elle cherche à comprendre, en mettant bout à bout des morceaux d'expériences. Elle reprend un à un des incidents épars, trame de son histoire, fil conducteur de la découverte d'elle-même et des autres. Peut-être, par ce processus, réussira-t-elle à trouver les causes secrètes de la tragédie de son pays. Peut-être qu'en recomposant les événements qui l'ont marquée, elle arrivera à démêler la complexité d'une situation qui semble sans issue.

J'ai essayé de lui dire avec mes larmes, avec ma tendresse, avec mon désir d'un enfant de lui - exprimé par le mot « enfant » - les sentiments de mon cœur meurtri et angoissé.

Il a compris responsabilité. Il a vu engagement. Il a lu soucis.

Il n'a pas su prendre mes larmes pour en faire un bouquet. Il n'a pas pu arracher mes mots pour en tisser des fleurs. Il n'a pas voulu s'ouvrir à la caresse de ma voix.

Me suis-je mal exprimée ?

Il est bon, généreux, intelligent. Mais sa vie est réduite au monde de son passé. Et il me dit qu'il faut vivre dans le présent. Je lui ai demandé s'il connaissait des gens capables de vivre dans le présent. Il ne m'a pas répondu.

Devrais-je entrelacer pensées et Edelweiss pour en tapisser sa maison ? Devrais-je colorer les murs de sa chambre des tons tendres et violents de mon amour, alors que sa porte m'est fermée ? Devrais-je exprimer ma détresse, alors qu'il refuse de parler de la sienne ? Devrais-je lui étaler mon jardin ?

Il y a peut-être, au fond de l'horizon, une petite fenêtre ouverte pour nous deux...

Je ne lui enverrai pas ces lignes. J'imagine qu'il est assez conscient de tout cela, sans que j'aie à le lui dire. Mais peut-être ai-je tort... Il a eu l'air tellement étonné lorsque je lui ai exprimé mon désir d'un enfant de lui...

Je n'en parlerai plus... Un enfant conçu par un homme

et une femme doit être une folie à deux. Ce n'est pas un chemin à sens unique. Un enfant doit être une fleur d'amour, et l'amour n'est pas à sens unique. C'est le couronnement de deux passions qui se rejoignent. C'est la croissance d'un sentiment transcendant difficultés et séparations, à travers le temps et l'espace. Un enfant c'est le tissage de souffrances et de bonheurs partagés.

J'écris tout cela alors que je suis au Liban, pays déchiré d'enfants conçus dans la haine et la vengeance, mais aussi dans la joie, les vœux d'amour et l'espoir d'un monde meilleur.

Je rêve d'un enfant de lui, comme je rêve d'un Liban réconcilié et refleuri.

Je souhaite un enfant de lui, comme je souhaite dormir près de son corps, dans la chaleur de son lit éclaté.

Je désire un enfant de lui, comme ses baisers sur mon corps à l'infini.

Mais j'appelle encore plus son visage contre ma poitrine, le bout de mon sein entre ses lèvres, démesurément, la caresse illimitée de ses mains sur mes hanches, mes cuisses, mon sexe, et ma chevelure affolée à son approche.

Et le point culminant de ma soif est de le retrouver toujours, malgré les silences, les soucis et les incompréhensions, dans son lit de satin, de soie et de dentelles, dans des étés de solitude partagée.

La nuit tombe subitement, et la cuisine se remplit d'ombres. Les trois formes sont recueillies au-dessus de la table où les sardines et le pain arrosé d'huile d'olives ne sont plus que des miettes sur la porcelaine cassée et sur le bois rongé de trous de balles. La femme allume une bougie dont la flamme grandit petit à petit, éclairant les visages fatigués et encore affamés. Dehors, une grêle de balles et des obus frappent un quartier voisin. L'enfant tressaille et d'instinct, se précipite sous la table.

- N'aie pas peur, dit la femme. C'est loin... Ici, il n'y a presque plus rien à détruire ou à conquérir. Mais si tu as peur, je te ferai un lit sous la table.

L'enfant continue à trembler. La femme apporte une couverture et des coussins. Ils sont percés de trous de balles. Nour et elle installent l'enfant entre elles, sur le sol. Il se recroqueville sous la table, dans l'obscurité créée par leurs corps, et dans la chaleur de leur amour.

La femme ouvre la boîte de nacre où restent encore quelques cigarettes. Elle prend du feu à la bougie, aspire la fumée. Elle tend la cigarette allumée à Nour, et refait les mêmes gestes.

- Tu devais me parler de la foi, dit Nour.

- Oui... Elle réfléchit un long moment avant de parler. La foi est aussi un état de grâce, tout comme l'amour. Les religions ont corrompu la foi. Les religions dressent les gens de ce pays, les uns contre les autres, pas la foi.

91

- Mais comment séparer l'une de l'autre ? Ne sont-elles pas liées, comme la forme du contenu ?

- Non, je ne le pense pas. Il y a un contenu commun à toutes les religions, c'est la foi. Si les humains le comprenaient, ils s'acharneraient à chercher ce qui les rassemble, plutôt que ce qui les sépare. Les dogmes, les lois, la hiérarchie des églises, des mosquées ou des temples, ce n'est pas pour moi. Je me sens toujours mal à l'aise dans un édifice trop somptueux, ou avec des gens qui semblent prier avec ferveur, alors que leurs cœurs sont remplis d'hyprocrisie. Pour moi, la foi se trouve ailleurs. Je vais à l'église, car il faut donner une certaine forme à la croyance, comme tu viens de le dire, mais je ne m'y sens pas entièrement sincère.

- Alors pourquoi continues-tu d'y aller, et où est la foi pour toi ?

- Je continue à cause des moments uniques où je me sens en harmonie, et en paix avec Dieu et les humains. C'est presque toujours dans la musique, surtout lorsque les paroles forment un tout harmonieux avec la mélodie. C'est rare. C'est aussi quand je fais une prière silencieuse au fond de moi.

- Mais pourquoi vas-tu à l'église pour cela ? Tu pourrais aussi le faire dans ta chambre, écouter un disque ou chanter ?

- Nous faisons partie d'un contexte social. Mes actes ont un impact dans cet environnement. Si j'étais née musulmane, j'irais à la mosquée.

- Pourrais-tu y aller en tant que femme ?

- Peut-être que non, mais voilà un exemple typique d'une mauvaise interprétation de la religion, car le Coran permet, même encourage la femme à aller à la mosquée. Ces défauts et ces failles me détournent de toutes les religions.

- Alors comment vis-tu ta foi, si elle te déchire à ce point ?

Dehors, des rafales de balles se rapprochent. L'enfant gémit dans son sommeil. La flamme de la bougie tremble. La femme pousse un long soupir.

- Je la vis mal. Mais il y a des moments merveilleux que je vis intensément - ces instants de grâce dont je te parlais. Je ne peux pas te donner de meilleure explication. C'est un mystère. Je vis la foi comme le chant, comme l'amour, comme ma vie, par à-coups, par envolées. Cela fait partie de ma personnalité.

- Les gens que j'ai rencontrés dans le quartier aimeraient que tu reprennes ton chant. Ils pensent que ta voix arrivera peut-être à faire renaître la vie des ruines, que tes mélodies couvriront le bruit des mitrailleuses, des canons et des obus.

- Je souhaite un miracle, et je vais reprendre mon chant. Ta venue m'a donné le courage de recommencer. Mais je ne pense pas que ce soit suffisant. Ça peut être une étincelle qui allumera le feu de la réconciliation. Mais il faudra tellement plus pour maintenir ce souffle et réparer les ravages de la guerre.

- Vois-tu une solution ?

- Pour reconstruire tout un pays et toute une société, il faudra beaucoup plus que les moments de grâce que je t'ai expliqués. Il y a des éléments essentiels à chercher et à utiliser. Il faudrait d'abord trouver l'abcès et le crever.

- Où se situe ce poison, à ton avis ?

- Si je le savais, j'aurais depuis longtemps secoué le quartier de cette découverte. Je l'aurais criée sur les toits.

- Comment se fait-il que la destruction se soit acharnée sur cette partie de la terre, plutôt que sur une autre ?

- Les pressions extérieures, les enjeux historiques et politiques ont beaucoup joué, mais sans les facteurs internes, ils n'auraient pas causé les dégâts à l'échelle que nous voyons.

- Tu as parlé des moments privilégiés qui permettent les grandes actions. N'y a-t-il pas dans les dépassements, des germes de violence, la recherche du pouvoir et du contrôle sur les autres ? L'héroïsme n'est-il pas une force essentiellement destructrice ?

- Pas pour moi, mes zéniths aspirent à la lumière, à la tendresse, à la vie. Tes questions mettent le doigt sur la gangrène qui ronge ce pays. Des puissances externes et internes se sont liguées pour l'anéantir. Si j'arrivais à transmettre ma paix intérieure à ses habitants, ce serait déjà un miracle.

- Mais ce n'est pas suffisant.

Elle réfléchit dans une attitude douloureuse :

- Non, ce n'est pas suffisant ! Continue ta quête. Reprends ta marche. Tu trouveras d'autres réponses. En les plaçant les unes à côté des autres, elles formeront peut-être le fil de vérité que nous cherchons, le nœud brisant la rupture - ligne de démarcation - réunissant les différences, tissant la toile sur laquelle une nouvelle société surgira. Avant de traverser, va voir le père Boulos, il te donnera d'autres explications. C'est quelqu'un que j'admire et respecte énormément. Il a trouvé comment vivre sa foi par des actes courageux. C'est un être exceptionnel. Depuis des années, nous travaillons ensemble. Nous avons organisé des marches pour la non-violence. Nous pensions pouvoir endiguer le mal.

- Est-il découragé ?

- Un peu comme nous, mais il a une capacité d'optimisme et un dynamisme incroyable. En ce moment, il fait un travail théorique. Il rapproche les textes coraniques et bibliques. Il montre leurs ressemblances, et la possibilité de rapprochement des deux communautés par une foi vécue.

- Est-il écouté ?

- Il est plutôt ridiculisé, aussi bien par les chrétiens que par les musulmans. Mais cela ne l'arrête pas. D'ailleurs, quel est le prophète reconnu par les siens ? C'est un travail difficile et ardu, une recherche solitaire et incomprise - chemin de grandes découvertes. Mais il se fait tard. Une longue journée t'attend. Tu as besoin de repos. Je vais faire les lits. Veux-tu ranger les restes du repas ?

Elle déroule des nattes sur le sol, pendant que Nour ramasse les assiettes et les lave rapidement dans un fond d'eau déniché dans un seau, sous l'évier.

Les deux femmes s'étendent sur le sol, attendant le sommeil, secouées par de fortes explosions, comme des coups de tonnerre, pourtant éloignées.

- Est-ce que tu penses encore à lui ? demande Nour.

- Oui, j'y pense encore, surtout la nuit quand je n'arrive pas à dormir. Je revois alors son sourire et ses épaules carrées. Je revis les moments de tendresse, quand il m'avait prise dans ses bras pour me dire son amour et son désir que je parte avec lui.

- Regrettes-tu ta vie ?

- On a toujours des regrets ! Mais l'essentiel est de pouvoir me dire que j'ai été fidèle, profondément égale à moi-même et à mon idéal. C'est ce qui me donne une paix profonde et une joie que j'ai réussi à conserver tout au long de cette guerre. C'est ce que je voudrais communiquer aux autres.

Nour pousse un long soupir. Elle s'endort en pensant à cette femme, à son courage, à sa vie, à son exemple. Elle rêve qu'elle court avec elle sur un chemin de montagne. La route est longue et la pente ardue. Nour s'essouffle. La femme à côté d'elle, paraît légère, comme soulevée par des ailes qui se dessinent sur ses épaules. Elle chante une mélodie douce et profonde. La voix remplit la montagne, et l'écho de la vallée renvoie le refrain, à travers l'espace. Tout le pays vibre de la mélodie qui pénètre les villages, les maisons, les arbres, les fleurs et les oiseaux.

La femme transformée en alouette vole, plane sur le pays. Elle chante sur chaque maison et sur chaque jardin. Elle harmonise pour chaque homme, chaque femme et chaque enfant qu'elle rencontre. Elle module pour la femme qui pleure et pour l'homme tombé dans le fossé. Les larmes de la femme, et le sang du blessé se métamorphosent en myosotis, grâce au ramage. L'oiseau redevenu femme prend Nour par la main et l'aide à grimper le chemin raide. Nour court avec la femme. Elles arrivent au sommet de la montagne d'où elles aperçoivent la Bekaa, vallée fertile. Deux armées ennemies s'affrontent au milieu des champs de blé et de tournesols. Canons et mitrailleuses se font face, attendant le signal pour se battre.

Par un mystère que Nour ne perce pas, la femme a attiré une foule de femmes et d'enfants. Elle leur apprend le chant nouveau. La mélodie est harmonisée pour transformer les baïonnettes en jonquilles. Elle conduit la multitude entre les deux armées. Le signal de la bataille n'est pas donné. L'étincelle n'éclate plus jamais. Et les femmes et les enfants devenus pinsons et hirondelles, portent sur leurs ailes les corps fatigués et mutilés des combattants. Chaque femme-colombe et chaque enfant-palombe, supports du miracle, s'envolent vers la mer. Ils volent vers un horizon infini de lumière, de soleil et de paix.

Cours : *Femme dans le Monde Arabe*

Titre : **LE CERCLE INFERNAL**

Quand j'étais jeune, ma vie était ouverte et merveilleuse. Il n'y a pas si longtemps, je rêvais de princes et de chevaux blancs. J'imaginais qu'un jour, il viendrait à moi, lui, le non-détruit. Il apparaîtrait et m'emporterait. Il m'entraînerait avec lui sur sa jument argentée, et nous voyagerions vers l'infini, dans l'amour. Car je songeais aussi à l'amour, un sentiment intense qui surpasserait tous les autres, et me tiendrait éveillée et heureuse, jusqu'au bout du voyage.

J'étais joyeuse alors, insouciante, légère et très sociable. Je me faisais facilement des amis, et je croyais qu'ils m'aimaient pour ce que j'étais. Et puis un jour, je me suis réveillée, j'ai regardé autour de moi, et j'ai vu tous ces visages que je croyais connaître. Ils portaient tous des masques. J'ai compris que je n'appartenais à nulle part, que je n'arriverais pas à enlever ces masques, et ne découvrirais jamais ceux qu'ils cachaient. J'ai décidé de ne jamais prendre de masque. J'ai alors réalisé qu'il me serait impossible de vivre. Ce jour-là, une déchirure a éclaté en moi, blessure dont je ne me remettrai peut-être plus. C'était le début...

Je me demande ce qui m'a changée à ce point. Hier encore, j'étais optimiste, ambitieuse, et je percevais mon avenir plein de possibilités fabuleuses. Maintenant, je me sens vieille d'un siècle. Ce que j'entrevois n'est plus l'amour, la réalisation de projets, l'amitié et l'horizon ouvert. Ce que j'aperçois à présent, c'est la mort, rien que la mort.

Tout a commencé lorsque je me suis mise à prendre de l'héroïne. Il y a trois ans. Au début, je n'avais aucune idée des effets. Pendant la guerre, toutes les drogues sont devenues accessibles. Elles étaient même vendues et circulaient dans les universités et les écoles. Les jeunes en prenaient par réaction contre la guerre et ses terribles réalités - kidnappings, tortures, assassinats, bombes et destructions. Tous les jours, des morts, et des morts... Je me bouchais les oreilles pour ne plus entendre. La drogue m'a aidée à taire les bruits de mon âme. Quand j'en prenais, je planais au-dessus de la souffrance de notre drame.

Tous les jeunes Libanais se posaient la même question : quelle avait été notre faute, à nous Libanais, pour être condamnés de cette façon ? Pourquoi devions-nous tant souffrir, passer par l'enfer de l'anéantissement de notre pays ? L'abîme qu'il était devenu nous donnait le vertige, notre vie aussi. Nous ne voyions plus de solutions. Tout et tous nous avaient trahis. Les chefs religieux, politiques et intellectuels nous avaient vendus. La famille ne pensait qu'à la vengeance. Les amis nous utilisaient. Les grandes puissances se servaient de nous pour régler leurs problèmes. Nous nous trouvions enfermés, encerclés, étouffés.

Grandir dans la guerre est terrible. Devoir tous les jours faire face à la mort et à la violence, est insupportable et insurmontable. Nous aurions tellement voulu trouver une issue, une petite fenêtre nous permettant de fuir cette horrible réalité. Mais ce qui nous a été donné fut une fuite autodestructrice - une brèche sur laquelle un prisonnier se précipite pour respirer l'air frais du dehors, mais une fois la tête à l'extérieur, le battant se referme brutalement, le décapitant. Au début, nous avions pensé que cette évasion était belle. Nous ne savions pas qu'elle était une agonie lente et inévitable.

Les hostilités et les vendettas réduisaient notre pays en cendres, et nous nous réduisions en poussière. Les Libanais ne s'en étaient pas rendu compte, et nous non plus. Les Libanais avaient choisi la guerre dans l'inconscience, et nous aussi. Pourquoi ? Je me le demande encore, et je n'ai pas de réponse.

Lorsque nous avons découvert les effets de l'héroïne, il était trop tard. Nous nous y étions déjà habitué. Nous étions déjà intoxiqués. Nous ne pouvions plus nous en passer. C'était devenu une partie de nous, une aventure amoureuse, un attachement sentimental très fort, comme un mariage destructeur mais passionné avec ses moments de bonheur.

Maintenant, notre vie est réduite à cette poussière. Notre seule préoccupation est d'obtenir la dose journalière qui nous tiendra debout, nous permettant d'affronter l'existence. Notre espoir dans l'avenir est mort, celui du passé enterré. Nous ne vivons plus que pour la minute présente. Et aujourd'hui, comme hier, comme demain, c'est l'agonie.

Nous sommes possédés par la drogue. Nous nous adonnons à elle. Nous sommes prêts à tout pour elle. Je connais des jeunes qui sacrifient leur honneur pour cette poudre. Ils se vendent, se prostituent, mendient. Je remercie Dieu. Il existe. Sans Lui, je me serais aussi vendue. Il m'aime, car Il m'a aidée à sauvegarder ma réputation, et celle de ma famille.

On m'a inculqué dès l'enfance, ce rôle de Dieu. Mais je m'interroge aujourd'hui. S'Il est vraiment Tout-Puissant, pourquoi a-t-Il permis tous ces malheurs au Liban ? Pourquoi n'a-t-Il pas arrêté ma main quand elle a saisi l'héroïne pour la première fois ? Il ne peut pas être le Dieu juste et équitable en qui on a essayé de me faire croire. Je rejette ce Dieu-là qui rit de la bêtise des hommes s'entre-déchirant, et se défonçant. En même temps, je Le remercie de m'avoir gardée de l'infamie. Oh ! comme ma tête me fait mal, et comme j'aimerais trouver une solution !

Voilà trois ans que je prends cette drogue. De temps en temps, je la quitte. Mais la désintoxication est terrible - douleur dans tout le corps, vomissements, diarrhée. Et chaque fois, je me dis que c'est la dernière fois, que je ne recommencerai plus. Et toujours j'en reprends, comme poussée par une force invisible me conduisant à mon dernier jour. C'est un vertige !

Oh ! comme je souhaiterais retourner en arrière, à ma

jeunesse pure, naïve, rêvant d'un univers lumineux, ouvert. Maintenant, je suis seule, à la merci de ceux qui m'ont classée. C'est une bêtise libanaise : étiqueter les gens, les traiter non pour ce qu'ils sont, mais pour ce qu'ils représentent comme statut social et familial, pour la façon dont ils s'habillent - Chanel, Dior, ou Cacharel. Au Liban, on aime les grandes marques, les titres. On va rarement au fond des problèmes. Notre superficialité nous a rongés de l'intérieur, et nous avons subi les pressions extérieures.

Personne n'a jamais essayé de me comprendre pour ce que je suis. O, tous ces mensonges ! Toutes les hypocrisies de notre société ! Devant vous, on se confond en paroles mielleuses - tournures sophistiquées, phrases apprises d'une prétendue politesse - par derrière, on vous traite de droguée, de prostituée, de femme dévergondée, etc.

Il faut dénoncer notre société pourrie, sinon on n'en sortira jamais. Mon problème commence là, j'en suis sûre. Nous avons grandi au milieu de valeurs corrompues, et je me suis décomposée avec elles. Parce que je ne me sentais pas capable de lutter, j'ai choisi la fuite - une dérobade meurtrière. Il faudrait changer tout le système, et me transformer moi aussi. Mais comment y arriver ?

Ce qui est fou dans cette drogue, ce n'est pas seulement la démangeaison physique, mais le supplice moral. J'ai vécu tout cela. La damnation du corps, ce sont les douleurs, les vomissements, la diarrhée, et un état de nervosité, de tension et de tremblements incontrôlables. L'enfer moral est un abîme sans fin. Chaque fois qu'on tente de remonter à la surface, on s'enfonce de plus en plus. C'est une descente vertigineuse, chaque cercle plus effrayant que le précédent, chaque étape plus asphyxiante. C'est comme notre guerre, le reflet vivant de notre tragédie sur notre corps-même. Chaque fois qu'on pense avoir atteint le paroxysme de ce qu'on peut supporter, un autre dénouement, une étape encore plus tragique survient.

Durant les premiers mois de la désintoxication, on vit dans une hallucination. Le manque de drogue rend fou. On se sent toujours déprimé. La vie n'a plus de sens. Un désir de mort s'installe et grandit. Cet état dure, et se prolonge, quelques fois six mois, parfois même une année. On n'a plus goût à rien.

Depuis que vous m'avez demandé d'écrire, chaque fois que l'envie d'en prendre me démange, je me mets à ma table, et j'écris. Mais la plupart du temps, c'est plus fort que moi. Mes résolutions ne tiennent pas, et je dois me faire un fix. Je sais que je me tue, mais je ne peux pas m'en empêcher.

Je reviens à Dieu, car on m'a dit qu'Il m'a donné une dernière chance. Mais pourquoi ne m'en donnerait-Il pas d'autres, puisqu'Il peut tout ? Où est notre destin ? Pourquoi nous, Libanais, devons-nous souffrir plus que les autres peuples ? Que Lui avons-nous fait ? O, comme ma tête me fait mal !

Oiseau du jardin
Alouette du départ sans retour
Petite fleur bleue écrasée à l'angle d'une rue
Corps déchiqueté, enterré sous la lune
Epine, tige de mon pays
Voix qui pleure, hurle
sanglote, dans l'indifférence du ciel
Epave de l'univers
Croix de Galilée
Croissant de Kouraïche
Je suis celle qu'on regarde avec curiosité
pour mieux cracher dessus après.

J'ai été tant de fois, si proche de me supprimer. Une fois, c'était aux Etats-Unis. Ma famille m'avait envoyée dans un centre de désintoxication à Chicago. J'étais dans un état indescriptible, une sorte d'inconscience qui a duré huit jours. Ce n'était pas un coma habituel. J'étais terrassée, et quelquefois violente. On a dû m'attacher au lit. Les docteurs ont pensé que la poudre avait atteint ma tête, que je serais aliénée pour toujours. Mais j'ai guéri. Je suis une rescapée de l'incendie, sauvée plus d'une fois, à la dernière minute. Ô, comme mes méninges grincent !

A l'hôpital, mes hallucinations venaient du fait que je ne voulais pas arrêter, et ne pensais qu'à la drogue. J'en rêvais. J'imaginais qu'on m'en apportait, et que je l'aspirais goulûment. Une fois même, je me suis précipitée dans les toilettes, et j'ai respiré de la poussière collée aux dalles. L'illusion de persuasion fut si forte que j'ai joui de cette prise. Je suis redevenue moi-même, pour quelques instants.

Fil qu'on tord, étouffant les images d'horreur
Etoile qu'on pose sur la pierre ensanglantée
Fruits de mon pays, mûris dans le carnage
pourris sous le soleil.
Fille de Dieu qui me regarde en riant,
se plissant de remords
Je suis la trame de notre histoire maudite.

Une autre fois, j'ai manqué d'être attrapée par la police libanaise, mon nom étant sur une liste. C'est un sentiment effrayant - se savoir tous les jours traquée, penser qu'à n'importe quel moment, on peut venir vous arrêter. J'ai dû me cacher chez moi, pour quelques temps, jusqu'à ce que mes parents aient contacté des personnes haut placées, arrangent l'affaire, et fassent supprimer mon nom de la fameuse liste. C'est le wasta libanais - mes parents connaissent les autorités, ont de l'influence, ils peuvent me sortir du pétrin. On peut toujours arrondir les angles avec le wasta. Au Liban, règne la loi du wasta. Depuis très longtemps d'ailleurs, tout se fait par wasta, et nous faisons une guerre de wasta.

Etoile filante
rayant le ciel de larmes rouges
Cartilage d'un monde qui craque
Trous qu'on creuse pour faire un cimetière
Coupe de sang qu'on leur donnera à boire
Pas effacés sur le rivage.

La troisième fois, j'ai frôlé la mort, et c'est là que j'ai commencé à croire en Dieu... ou est-ce à ce moment là ? Il a voulu me sauver. Tout le monde le dit. Ceux qui ont vu ma voiture après l'accident ont déclaré que c'était un miracle que je sois en vie. Elle a été réduite en miettes. J'ai survécu, alors que j'aurais dû être anéantie. Les docteurs ont

102

affirmé que j'aurais pu perdre un œil. Maintenant, avec le recul, je me demande comment j'ai pu me laisser aller à un état pareil - devenir esclave d'une poudre. Moi, qui pensais être forte, je suis prisonnière-folle de poussière.

Mes pieds ont traversé les cercles de la démence
conduisant à la mort
J'ai cherché en vain une main amie
un visage compatissant
J'ai appelé, crié dans le vide
même l'écho n'a pas répondu
J'ai sangloté pour qu'un bras se tende
me redonne ma joie d'enfant
J'ai frappé à toutes les portes
Je me suis écorchée aux murs en ruines
J'ai demandé au soleil de me brûler
Je me suis retrouvée seule, abandonnée.
La vie autour de moi est factice
J'ai décidé de rester à l'écart de leurs jeux
J'en mourrai
peut-être l'oiseau me portera-t-il sur ses ailes.

Cette poussière m'a appris quelque chose. Son pouvoir surpasse tous les autres. Une fois pris dedans, cette force fait sienne toutes les autres. J'ai vu sa flèche fulgurante, et je pénètre la mort. Je comprends la guerre. Je remercie Dieu qui m'a épargnée encore une fois. Mais pourquoi ? Et s'Il l'a fait cette fois, recommencera-t-Il ? Est-Il, Lui aussi, une force ? S'Il est une Puissance, Il doit forcément détruire. Il n'y a pas de pouvoir sans annihilation. Est-Il l'Ultime Cataclysme ? Ô, comme ma tête me fait mal ! Comme j'aimerais pouvoir retourner en arrière, quand j'étais jeune et insouciante !

Je ne connais pas le début de ma route, et je n'en vois pas la fin. Je ne discerne pas mes premiers pas dans la folie, et ce qui nous a poussés à choisir cette tragédie. Mais avons-nous eu le choix ? La dévastation des rues de mon pays me ronge au ventre. Mon corps est troué de balles éclatées. Je tente, je tente de saisir, de distinguer une lueur d'espoir.

Certaines étapes de la drogue empêchent de discerner

entre le bien et le mal. On n'en a même pas envie. Que le démon se saisisse du lendemain ! Aujourd'hui, on doit vivre, on a besoin d'un ami, n'importe lequel, on choisit la drogue. Tout devient égal. La solitude est un sentiment insupportable. Mais même entourée d'amis, on se sent solitaire, atrocement isolée... jusqu'à ce que la poudre vienne remplir ce vide.

Depuis que je me suis mise à écrire, lorsque je me défonce, je suis prise de remords. J'aperçois les visages soucieux de ceux qui cherchent à m'aider véritablement. J'ai honte de faire si peu d'efforts, et de toujours rechuter dans la prise de ce poison. Cette constatation me déprime tant, que j'en deviens encore plus incurable. C'est un cercle vicieux. Mon Dieu, que vais-je faire ? Si je me défonce régulièrement, c'est la mort. Et si je n'en prends pas, je deviens folle - démence permanente et sans issue.

Mon ciel est devenu une grande prison
Il n'y a presque jamais de nuages au Liban
Ceux entrevus ressemblent à des filets lancés pour m'attraper
Ma maison s'est écroulée sur moi
Je remue les bras pour me dégager
Je reçois des coups
Une pluie d'acier frappe mon dos déjà broyé
J'ai mal partout
Je suis réduite à la poussière que j'ai humée et subie
Mes yeux éteints sont injectés du sang de haine de ma ville égorgée
J'ai appelé, crié,
supplié la terre et les nations de nous secourir
On m'a donné du papier et une plume
On m'a offert des tranquillisants et des somnifères
Ce n'était pas suffisant pour arrêter la violence.

Mon Dieu, je suis retournée à l'héroïne. Je suis de nouveau prise. J'ai besoin de Votre aide. Je suis terriblement déprimée. J'aimerais mourir. Je suis arrivée au bout d'une impasse. J'ai l'impression d'avoir déjà tout expérimenté dans la vie. Je me sens vieille d'un siècle. Je porte une montagne sur mes épaules déjà courbées. C'est trop, beaucoup trop.

J'ai mille années de plomb sur ma tête. Ni mon corps, ni mon esprit ne peuvent encore absorber de la drogue.

Chaque fois que je me défonce maintenant, je suis atteinte par son effet sur mon esprit et sur mon corps. Je ne l'absorbe plus comme avant, quand mon corps était jeune, et ne s'était pas détérioré et affaibli. Ce poison le fait vieillir dix fois plus vite. Je n'ai plus de règles, depuis presqu'un an. J'ai des amies dont le corps a perdu tout caractère sexuel féminin.

Mais sans la drogue, ma vie est vide. Elle perd sa raison d'être, et mon seul désir est de mourir. Il faudrait que je cherche une motivation. Vous me l'avez conseillé. Vous m'avez dit de découvrir un but, un intérêt qui m'envahisse à tel point, que cela remplacera tout le reste. Mais où, et comment le rencontrer, quand mes mains tremblent, quand ma tête me fait si mal qu'elle désintègre mon esprit ?

Les vagues se fracassent contre mon crâne
Chaque déferlement est plus houleux que le précédent
Les canons se sont alignés, face à la cité
Ils vont écraser la population cachée dans les trous des murs lézardés
Il ne restera rien de ma ville et de ma maison
Les pierres vont s'effriter et deviendront poudre
Il n'y aura plus personne pour la souffler aux quatre vents
Et moi, poudre dans la poussière
Je redeviendrai terre
Puisse-t-il pousser de moi des violettes
Embaumant mon pays devenu cimetière
Redonnant au monde le jardin perdu.

Cette guerre droguée a pris les meilleures années de ma vie. Pour le moment, je n'entrevois aucun espoir, aucune lueur me permettant de reprendre mon souffle.

Suis-je oiseau ?
Suis-je terre ?
Suis-je arbre ?
Qui m'a pris mon cerf-volant ?

Comment retrouver ma joie d'enfant ?
Qui me parlera ?
Qui me montrera ?
Toutes les mains amies sont dans l'étau des chaînes,
Leurs épaules, marquées au fer rouge.
Les yeux bandés, elles sont conduites au suicide.

Je n'ai pas le choix, que j'arrête ou que j'en prenne, c'est toujours la mort et les dépressions. Je vis dans un tourment perpétuel, que je me défonce ou pas, c'est l'enfer. Je suis déchirée par ce conflit intérieur : désir et rejet de la poudre tout à la fois. Cette contradiction qui se bat au fond de moi, me rend schizophrénique. Plus rien ne m'intéresse. Ma vie n'a plus aucun sens. J'ai peur de l'affronter sans drogue, parce qu'elle est trop dure. Elle tue, même les plus forts, et elle nous réduit en cendres. Il aurait fallu naître différemment, avec un cœur d'acier et des nerfs solides, pour arriver à accepter toute la violence dans laquelle nous devons vivre. Ou alors, il faut trouver un moyen d'y échapper, dans l'oubli, l'amnésie... La vie tue. C'est l'existence-même qui massacre.

On m'a nommée Najmé, étoile, et souvent, lorsque je regarde les nuits constellées, je m'envole dans un élan de désir ardent, vers un de ces astres brillants. Je souhaite tellement alors, m'évaporer vers un destin atmosphérique magique, qui serait totalement étranger, et où je ne sentirais plus rien des misères de la terre, un endroit lumineux du ciel d'où je regarderais le globe de loin, très loin, en disant avec distance : « La bêtise des hommes !... ils n'ont toujours rien appris... depuis les milliers d'années qu'ils existent, ils font toujours la guerre, ils se tuent toujours avec la même rage... » J'aimerais pouvoir arriver à cet état de sagesse. Pour le moment, je ne suis qu'un astre continental, une pauvre petite étoile perdue dans un fossé. Au loin, la bataille fait rage, alors je me suis réduite en poussière, pour qu'on ne m'aperçoive pas.

Quand le chemin de l'oubli n'est plus possible, qu'on doit faire face au concret journalier, c'est infernal. Tous les tabous de la société apparaissent. Affronter ces hypocrisies et violences, sans l'aide d'un secours extérieur, est une lutte sans merci. Toute la vie devient un cauchemar incessant, et tout intérêt pour quoi que ce soit, se désagrège. La dépression s'installe. Le seul désir qui reste, est la mort. Voilà le dilemme que je vis, le cercle infernal dans lequel je me trouve.

Je suis lâche. Je me suis de nouveau défoncée. Je mens à moi-même, et trompe les autres autour de moi, quand je leur dis que j'ai arrêté, ou que je veux arrêter. La drogue a de nouveau le dessus.

C'est comme si l'on m'avait mis une écharpe lourde autour de la tête, un étau qui m'empêche de respirer. Et plus j'essaie de me dégager, plus la pression se resserre.

J'aimerais tellement percer le mur
retrouver mon rêve
marcher dans le sable des plages de mon pays refleuri
courir à l'infini vers la mer
Dans un horizon dégagé des voiles de haine et de violence
Ô, retrouver mes rêves d'enfant
mon bonheur d'adolescente
quand je croyais encore qu'il viendrait à moi
lui, le non-détruit
lui, le non-drogué
lui, le non-déformé
lui qui me prendrait par la main
m'entraînant vers un horizon de lumière.

J'ai de la chance d'avoir les amis que j'ai, prêts à m'aider. Dieu même, est peut-être de mon côté. Mais jusqu'à quand cela peut-il durer ? Les gens se lassent. Même Dieu se fatigue. Aujourd'hui, mon étoile est en or. Je dois l'attraper avant qu'il ne soit trop tard, et que je me retrouve seule avec l'héroïne. Jamais je ne pourrai m'en débarrasser.

Maintenant, j'ai la possibilité de guérir. Des personnes admirables essaient de me secourir, mais je ne coopère pas. Chaque jour, je me dis : « C'est terminé, demain j'arrêterai ». Mais demain n'arrive jamais. J'ai peur d'avoir à confronter la vie et son hyprocrisie, sans l'aide de mon seul soutien. J'appréhende de grandir, d'avoir des responsabilités, de prendre des décisions. Par dessus tout, je suis angoissée de découvrir qui je suis vraiment. C'est ce qui est apparu hier, lorsque je parlais avec mon psychiatre. Il m'a fait comprendre que j'étais terrifiée par moi-même, par l'idée de devoir me prendre en charge.

Tout cela, j'en suis consciente. Je suis lucide avec moi-même. Tout le monde me le dit. Alors, pourquoi est-ce que je n'arrive pas à sortit de cet état ? Puisque je sais ce qui cause mon drame intérieur, comment se fait-il que je ne trouve pas de solution ? Suffit-il de comprendre pour répondre ? Est-il assez d'analyser pour résoudre ? Pourquoi vois-je tout en noir, sans une seule lueur d'espoir à l'horizon ?

Reflet de mon pays rongé par la vermine
Cimetières sur ma terre éclatée
Moi, mausolée parmi les catacombes
Je n'arrive même pas à engendrer des coquelicots

Si au moins je pouvais retourner à hier. Mais hier est mort. A partir de maintenant, je vais essayer de vivre pour demain, et pas seulement pour aujourd'hui...

à suivre...

Signé : Najmé l'Orpheline

C'est le printemps. Un printemps éclatant de fleurs sauvages : cyclamens, coquelicots, myosotis, violettes et jonquilles. La montagne est embaumée du parfum des fleurs. Hayat et Adnan ont pris la route de Yarzé. Ils ont fui Beyrouth barricadé de ses monstres de guerre. Ils ont besoin de respirer un air de renouveau et d'espérance.

Quel contraste entre cette nature qui éblouit de beauté, de fraîcheur, et la ville morcelée de haine ! Dès qu'ils s'élèvent dans la montagne, le paysage a l'aspect des jours anciens, d'avant la guerre.

Au volant de sa voiture grise, Adnan soupire :

- La nature est si belle ! Mais même ici, on peut voir des arbres carbonisés. Même eux ont été atteints par des obus. Il y a eu beaucoup d'incendies de forêt.

- Mais les fleurs ont repoussé. Elles sont revenues, comme à chaque printemps, et elles ont tout caché. Quand tu regardes les collines, elles sont toujours aussi belles.

- Il ne faut pas regarder de trop près, et au train où vont les choses, cette terre continuera-t-elle de refleurir ?

- Tu es bien pessimiste ! Arrête-toi un peu. Allons marcher dans ces champs. Suivons l'un de ces sentiers.

Adnan stationne au bord de la route. Hayat lui prend la main. Ils avancent sur un tapis de coquelicots, s'assoient sur un rocher surplombant la Méditerranée, Beyrouth pénétrant la mer. A cette distance, on ne distingue pas les ruines.

- Nous vivons une époque des plus tragiques de notre histoire. Mais le Liban est millénaire et en a vu bien d'autres.

- Avec la différence que les armes sont beaucoup plus per-fectionnées, meurtrières qu'avant. L'invention d'armes sophis-tiquées, la découverte de la bombe atomique peuvent anéantir ce paysage en quelques secondes.

Hayat resserre sont étreinte. Adnan lui entoure les épau-les de ses bras. Un vent de la mer les caresse.

- Je pars dans deux semaines, murmure-t-elle.

- Oui, je sais, soupire-t-il. Dois-tu vraiment partir ?

- Je n'ai pas le choix. Mon travail m'attend.

- Tu ne pourrais pas enseigner ici ?

- J'ai demandé. C'est impossible pour le moment. Il n'y a pas de postes.

- Mais tu n'aimes pas vivre aux Etats-Unis.

- Je m'y sens mal, beaucoup plus mal qu'ici, sous les bombes. Il y a une folie, une violence beaucoup plus des-tructrices qu'ici. Si les conditions économiques et politiques avaient été telles que celles du Liban, c'est un pays qui aurait disparu, j'en suis certaine. Il n'a pas le ressort ou l'histoire du Liban. Sa force et son pouvoir sont superficiels. Ses habi-tants, bombardés de publicité et d'objets à consommer, s'endorment dans la léthargie et l'indifférence aux autres. Sa décadence a détruit mon mariage. Et, d'une certaine façon, notre pays a subi sa politique. Moi, j'y meurs d'une mort lente.

Adnan la regarde, perplexe :

- Pourquoi y retournes-tu, si c'est tellement invivable ?

- Comme ici, il s'y trouve des êtres rares. Peut-être arriveront-ils à changer la situation, avant qu'il ne soit trop tard. Comme ici, j'en ai découvert quelques uns, et nous travaillons ensemble. Nous formons une chaîne d'amitié, dans plusieurs pays du monde. Peut-être grossira-t-elle avec le temps. Peut-être réussirons-nous à transformer ce monde, avant la catastrophe. C'est ce que j'ai essayé d'exprimer dans le roman que j'écris. Et puis, mon travail me passionne. Il y a des possibilités d'organiser des congrès, de mettre son engagement dans les cours qu'on enseigne, de les utiliser comme réveil des consciences - prises de position pour les opprimés - introuvables ailleurs.

- Comment se fait-il qu'avec tant de débouchés, ce peu-ple que tu décris soit endormi ?

- C'est ce que que j'essaie de comprendre, en écrivant, en prenant du recul, en en parlant, en mettant bout à bout les expériences que j'ai vécues. Comme pour la guerre, les réponses ne sont pas simples.

Adnan a l'air soucieux, nerveux. Il machonne la tige d'une jonquille.

- Je ne te propose pas le mariage. Je suis déjà marié, et ne divorcerai pas. Comme tu le sais, ma femme est partie, étant malade.

Hayat le regarde, surprise :

- Ne prends pas cet air tragique, mon chéri. Tu sais très bien que je ne crois pas au mariage. C'est comme n'importe quelle institution, elle tue l'esprit. Le mariage tue l'amour. Je préfère t'aimer sans attaches. Et d'ailleurs, qu'est-ce que cela résoudrait à notre situation ?

- Nous pourrions vivre ensemble. Tu n'aurais pas besoin de travailler.

- Mais je veux travailler, garder mon indépendance financière. Et pourquoi ne pourrions-nous pas vivre ensemble, sans être mariés ?

- Ce n'est plus possible dans cette société qui marche à reculons. Nous serions montrés du doigt, et notre appartenance à deux confessions différentes poserait d'énormes problèmes.

Hayat est étonnée :

- Je croyais que tu avais dépassé de telles considérations.

- Moi, oui, la société non. On risque la mort, ou en tout cas, le rejet, même de ses proches. Avant la guerre, c'était peut-être supportable, maintenant, c'est trop dur.

Hayat est de plus en plus surprise :

- Je ne te comprends plus. Je pensais que nous communiquions sur des bases autres que celles de la société. Je refuse de m'enfermer dans une spécificité, qu'elle soit religieuse, culturelle, géographique, raciale ou de langue.

- Oui, je sais. C'est ce que j'aime en toi. Je respecte ta liberté et ne te retiendrai pas. Tu es comme l'oiseau, tu dois voler.

Soudain, Hayat est toute triste :

- C'est étrange que tu me dises ça. Ces mots, je les ai déjà entendus. Un homme de mon passé, que j'ai beaucoup aimé, me les avait déjà dits. Je ne l'avais pas cru. Je pensais, et je crois toujours que c'était une façon de me renvoyer. Je suis peut-être un oiseau, mais comme lui, j'aspire à trouver l'arbre où construire mon nid.

- Tu veux tout à la fois - la liberté et l'engagement, l'indépendance et vivre à deux, l'identité et le rejet d'une spécificité. Ce n'est pas possible. Il faut choisir ou refuser tout. Si cet homme t'a aimée autant que moi, il te voulait libre.

Hayat se met à pleurer. Elle ne trouve pas les mots pour lui exprimer la blessure qui, tout au fond d'elle, vient de se rouvrir. C'est une douleur sourde et profonde qui la prend aux tripes, la paralyse, et l'empêche de parler. Adnan la prend dans ses bras.

- Ne pleure pas ! Tu es, et resteras toujours mon seul amour.

Entre deux sanglots, elle arrive à exprimer sa peine.

- Lui aussi m'avait dit que j'étais son seul amour. La vie est une répétiton des mêmes blessures. Il m'avait écrit un poème que j'avais mis en musique...

Doucement, il lui caresse les cheveux, la serre contre lui, tente de l'apaiser. Il réclame :
- Veux-tu me le chanter ?

Entre deux sanglots, sa voix arrive coupée et cristalline. La mélodie s'élève, et résonne à travers les vallées séparant les montagnes ennemies. Elle va de Yarzé au Chouf-Beïtmerri-Dhourchoueïr-Sofar-Alley-Bhamdoun-Le Chouf, pour revenir à Yarzé où sont assis Hayat et Adnan, le cœur étreint de souvenirs, et repartir sur Beyrouth, ville-mémoire du temps.

« Oui, je dois selon l'habitude
Des grands fauves sur le déclin,
Retourner à ma solitude ;
J'ai fait, j'en vois la certitude
Plus que la moitié du chemin,
Oh je sais, la décrépitude
N'est pas exactement demain.

Ne nous faisons donc pas la guerre,
Nous avons à vivre longtemps.
C'est pour demain que fut naguère,
Cœur à cœur tout le long du temps.

Quand surgira sur l'Atlantique
Un soleil rougeâtre et violent,
Ce sera de notre Amérique
Et de notre âme symétrique
Le lever du déchirement
Et viendra sur nous la panique
D'être séparés en s'aimant.

Mon oiseau, mon oiseau, ma fille
J'ai si mal de partir de toi
Que quelque chose en moi vacille,
Que toute ma voix s'éparpille,
Que je doute si je suis moi,
Je vais, je pars, reviens, j'oscille
En cherchant je ne sais plus quoi.

Par la grâce de l'amour même
Nous nous retrouverons pourtant
N'importe où pour dire « je t'aime »,
Sur un quai par un matin blême,
Ou dans la rue à bout portant.
Et je mettrai, silencieux,
Ravi, mes lèvres sur tes yeux.

Alors, ne nous faisons pas la guerre
Nous avons à vivre longtemps,
C'est pour demain que fut naguère,
Cœur à cœur tout au long du temps. »

L'écho du chant résonne et vibre, de rocher en rocher, de vallée en vallée. Les fleurs frémissent, et la montagne est secouée par la beauté harmonieuse des paroles et de la mélodie. Hayat est absorbée dans une méditation douloureuse. Elle admire le paysage qu'elle ne reverra plus pendant longtemps. Comment le retrouvera-t-elle au retour ? Y aura-t-il un retour ? Et Adnan, le reverra-t-elle un jour ?

Il se lève, et la prend par le bras.

- Nous devons rentrer. Le passage du Musée va bientôt fermer. Demain tu enseignes, et moi je travaille. Je peux passer la nuit chez toi ?

Hayat sourit, à travers ses larmes.

- Pour quelqu'un qui a peur du qu'en dira-t-on, tu m'étonnes. Sais-tu que nous sommes le scandale de l'université ? Mais peut-être que ça te laisse indifférent, car c'est loin de tes amis.

- Ne sois pas sarcastique, parce que tu souffres. Tout ce qui nous touche me bouleverse. J'aimerais tant trouver une solution !

Il lui entoure les épaules de ses bras.

- Nous avons encore tant de choses à nous dire ! Et puis, les êtres qui s'aiment se retrouvent toujours ! Ce n'est qu'une séparation !

Ces mots, ces mots, elle les a déjà entendus. C'est comme s'il lui enfonçait un couteau dans la plaie - blessure dont elle ne se remettra plus jamais, déchirure cèdres et cendres de son pays qui ne se relèvera peut-être jamais. Ces mots, elle les reçoit comme un adieu !

Nour se réveille. Malgré le rêve agité, elle a dormi profondément. Elle se sent reposée, comme elle ne l'a pas été depuis longtemps. Elle regarde l'enfant qui dort, recroquevillé sous la table. La femme commence à bouger, elle aussi. Elle ouvre les yeux, et sourit à Nour.

- Votre présence est réconfortante ! J'ai bien dormi, alors que les autres nuits...
- J'ai rêvé que tu chantais, et que tu entraînais une foule de femmes et d'enfants, pour séparer les combattants.
- Moi aussi, j'ai rêvé d'une mélodie que je chantais, ressuscitant ce pays ! J'ai encore les paroles du refrain dans la tête.

Liban des cèdres et des moissons
Blessé dans ta sève et dans tes fruits
La guérison approche
Dans le vin mûri de ta souffrance
Dans le soleil violet de tes blessures
Appelle l'oiseau, appelle l'enfant
Ne leur donne plus jamais de fusil pour bouquet
Tisse des colliers de maison en maison
De jardin en jardin et de ville en ville
Fais entendre ton chant au-dessus des épées

- C'est étrange ! Moi aussi, j'ai vu dans mon sommeil des

oasis, des douars, des refuges, des sentiers, des colombes, du thym, des violettes, des coquelicots, et un océan soleil-levant.

- Ce doit être le fil conducteur de ta quête... Maintenant, ne t'attarde pas. Je vais faire du café, et je te dirai où aller pour retrouver le père Boulos.

Elle allume le charbon, pose la cafetière qui crépite. L'enfant ouvre les yeux. Il s'étire, et réclame à manger. Nour prend des morceaux de pain de la veille.

- Je dois avoir encore de la confiture quelque part, dit la femme.

Elle ouvre les battants de l'armoire, et sort un pot couvert de poussière de plâtre.

- Cette poussière de mort est partout, remarque-t-elle, en essuyant le bocal avec une serviette. Mais l'intérieur doit être très bon. C'est de la confiture des mûres de notre jardin de la montagne. Je l'ai faite l'année dernière, quand notre maison était encore accessible. Depuis, elle a été à moitié détruite, et le jardin saccagé.

- Est-ce que les mûres poussent toujours ?

- Je ne sais pas. La route est inabordable. Mais les mûres du Liban sont millénaires. Elles ont poussé à travers bien d'autres conflits et de nombreuses guerres. Les baies de ce pays ne mourront jamais !

- Il n'y a que nous qui succomberons, soupire Nour.

- D'une certaine façon, oui. Mais il y a en nous, quelque chose qui survivra, se perpétuera, et se transmettra aux générations futures. J'espère que ce sera le meilleur. Il faut que l'épuré en nous parle, survive, et se communique à ce peuple.

Nour étend la confiture violette sur le pain qu'elle roule, et le tend à l'enfant. Il se régale. Sa bouche et ses joues se barbouillent de sucre et de liquide mauve.

- Je crois que tes mûres sont très bonnes, observe Nour.

La femme est penchée sur la cafetière. Elle ajoute la poudre de café, en remuant la cuillère. Elle fait monter le liquide mousseux, trois fois. Elle attend un moment avant de verser la boisson brûlante.

- Tu devrais aussi goûter mes mûres. Tu as besoin de force pour cette longue journée.

Nour étale la gelée sur du pain.

- Elles sont pleines de soleil !

- Tu verras, il reluira sur notre pays qui l'absorbera comme les mûres.

Elle sort un autre pot de l'armoire :

- Tiens, donne-le au père Boulos. Je vais t'indiquer où il habite. Ce ne sera pas facile. Tout le quartier est en ruines. Va tout droit, en direction du pont. Tu trouveras la ruine du conservatoire. Tu la reconnaîtras à quelques arcades épargnées, à quelques mosaïques encore inscrustées dans le sol. La maison du père Boulos est à côté. C'est une vieille maison libanaise, en ruines, comme la mienne. Il vit au sous-sol, et dans une partie du premier étage. Il est là, avec un groupe de jeunes. Ils cherchent à maintenir le moral des habitants qui sont restés. Ils font des visites, distribuent des vivres. Ils ne sont pas armés, et vivent dans un dépouillement total. Leur seule arme est la prière, et l'amour. Leur courage est immense, et je les admire. Eux aussi ont trouvé un chant si beau, si exaltant, qu'il réconciliera tous les enfants de ce pays.

- Ce chant ressemble-t-il au tien ?

- D'une certaine façon. C'est un aspect de la même quête. Mais c'est aussi très différent. Il fait une réinterprétation de la foi, dans sa forme aussi bien que dans son contenu, dans l'Islam comme dans le christianisme, pour arriver à une réconciliation profonde et durable.

- Mais lui-même est chrétien. Il a une formation chrétienne. Peut-il vraiment comprendre l'Islam ?

- Je le crois, car il travaille étroitement avec des musulmans qui pensent comme lui. Mais je comprends tes objections. Cela fait partie des problèmes que j'ai avec la religion. Il me semble que le père Boulos a trouvé une vérité, et que sa recherche aboutira. Je l'espère. Demande-lui de t'expliquer... C'est un des mystères de la vie et de la foi qui ne peut être compris du jour au lendemain. C'est pour cela que je t'ai conseillée d'aller le voir, avant de franchir la ligne de démarcation.

Subitement, Nour est pressée de partir. Elle débarbouille l'enfant avec une serviette trempée dans un peu d'eau. Elle met le pot dans son panier, s'approche de la femme, l'étreint en silence, rapidement. Elle a peur de s'attarder, de lui

laisser voir son chagrin et son angoisse. L'enfant prend la
main de la femme. Elle le soulève, et l'embrasse trois fois.
L'enfant chantonne, en quittant la maison :

Apprends-nous à rompre les chaînes
Apprends-nous à briser la haine
Apprends-nous à aimer nos frères
Apprends-nous...

Nour l'accompagne, et ils chantent tous les deux, en descendant la rue bordée de maisons en ruines, l'asphalte devenue rocailles, l'herbe sauvage poussant partout à travers les
fissures. Ils chantent en se tenant la main.

Nous avons une ville à rapiécer
L'oranger, la vigne à replanter
Le soleil plus haut à rechercher
La femme à relever, l'espoir à retrouver.

Le duo devient trio, car de loin, la voix de la femme
qu'ils viennent de quitter, se joint à eux. Son timbre plein,
chaud et vibrant remplit le quartier, domine l'espace, et se
mêle à la mélopée de Nour et de l'enfant.

J'ai appris à chanter dans tes mains
J'ai tissé le fil que tu tendais
J'ai trouvé les mots qui te manquaient
Et j'ai écrit, écrit, la vision de demain.

Ils avancent encerclés de canons
Ils dessinent des ailes à leur prison
Ils reprennent chaque ligne des violons
Et elle conduit l'enfant à l'aube des sapins
Nous avons une ville à raccommoder...

Le chant résonne à travers les murs effrités, les toits effondrés, la route éventrée par les cratères d'obus et de sang
séché. Par les fenêtres brisées, par les portes fendues, apparaissent des visages qui regardent, étonnés. Quelques enfants

118

sortent des maisons, et les suivent un moment. Ils sont vite rappelés, et disparaissent comme ils sont venus.

- La ville est pleine d'enfants, dit Nour à Raja. Il faut y arriver pour eux.

L'enfant serre un peu plus fort la main de sa mère. Et il chante plus fort. Il compose. Il invente des paroles que l'écho reprend, et fait vibrer dans l'espace, jusqu'à la demeure de la femme qu'ils viennent de quitter :

Je marche vers l'espoir
Je pars vers le soleil
Ma main dans ta main
Volons avec l'oiseau

Nour reprend :
J'ai pris l'enfant loin de la ville
Et j'ai couru vers la mer
J'ai écrit son nom dans la poussière
Je lui ai montré l'horizon de lumière

L'enfant continue :

Nous sommes les enfants malheureux
D'une cité de poussière et de haine
On nous a donné de la poudre de mort pour lait
Un cratère d'obus pour berceau

Nour, la femme, et l'enfant chantent :

Allons vers le soleil, courons vers la mer
Retrouvons l'étoile du désert
Avançons vers l'eau des sources
Et parlons à la fleur, confions à l'enfant
Donnons lui un horizon de lumière

Toute la place est secouée par la voix cristalline de l'enfant et par celle profonde et forte de la femme qui les suit. Le cadre devient sinistre, les cratères d'obus plus profonds, les ruines totales, l'herbe et les ronces plus hautes.

- La destruction est ancienne et plus complète ici, observe Nour. Nous approchons du centre-ville. Le conservatoire ne devrait pas être loin.

Il se taisent, avancent en silence serrés l'un contre l'autre. Le bruit des batailles de la nuit semble s'être éteint avec le jour. Ils savent qu'ils se rapprochent du cœur des combats mortels, et que les yeux qui les épient maintenant, ne sont pas des regards d'enfants ou de parents bienveillants. Les pupilles derrière les pierres et les sacs de sable accumulés au coin des rues, sont remplies de haine et de mort. La rue est pleine d'ombres, la femme frissonne. Elle serre la main de l'enfant alerté par l'appel caché de sa pression. Ils frôlent les murs, et contournent un angle encombré de sacs de sables entassés.

Soudain, le bruit sec d'une cartouche crépite à quelques mètres. La femme attrape l'enfant, et s'accroupit derrière l'amoncellement de sable. Un soldat en habit de guerilla strié, recule précipitamment dans la rue, mitrailleuse pointée. Il balaie la rue de balles, en détalant. Nour tremble de tous ses membres. Elle a peur que le soldat ne vienne se protéger derrière le monticule où ils se cachent, ou que, les ayant aperçus alors qu'ils bifurquaient, il ne vise dans leur direction, pour détourner l'attention. Son cœur bat à tout rompre. Une pluie de projectiles arrivant d'une maison en ruines, poursuit le soldat qui continue de tirer. Une balle doit l'avoir atteint, car il boite en rampant. De l'autre côté de la rue où le milicien bat en retraite, le feu jaillit de partout, enflamme l'allée, et crache de l'acier sur l'immeuble qui avait attaqué. Le soldat disparaît par une fente du refuge qui le couvre.

Les détonations et les coups cessent. La bataille s'arrête. Le calme s'installe. Nour a l'impression que le déchaînement de furie continue. C'est son cœur qui bat si fort qu'il résonne dans sa poitrine. Elle serre l'enfant contre elle. Elle le presse, l'étreint. Et petit à petit, sa panique diminue. Les battements de son cœur s'apaisent. Elle reprend son souffle. Elle se remet à respirer.

Elle inspecte autour d'elle. Quelle direction prendre ? Où aller ? Elle remarque ce qui reste du conservatoire, en bas

de la rue. Malgré la dévastation, elle se souvient du chemin.
Ils doivent descendre la ruelle. Ils trouveront la maison du
père Boulos, plus bas. Mais elle a peur de tous les fusils,
de toutes les mitrailleuses, de tous les canons cachés derrière
les murs lézardés. Elle est terrorisée par la violence qu'elle
sent prête à exploser. Elle craint surtout pour l'enfant qui
s'est mis à trembler. Il s'accroche à elle, en gémissant. Elle
le berce en chantant doucement :

J'ai emmené l'enfant loin de la ville
Et j'ai couru vers la mer
J'ai écrit son nom dans la poussière
Je lui ai montré l'horizon de lumière.

L'enfant se met à chantonner avec elle :

Nous avons une ville à reconstruire
L'oranger, la vigne à replanter
Le soleil plus haut à rechercher
La femme à relever, l'espoir à retrouver.

Et de loin, de très loin, ils entendent la voix de la femme
qui a promis de les accompagner, et qui fait vibrer son chant
à travers le quartier. Il est si fort, si beau qu'il rebondit sur
les murs. Nour est certaine que chaque soldat, derrière son
engin de mort, est frappé par la mélodie, et absorbe la puissance réparatrice des paroles et de l'harmonie envoûtantes :

Apprends-nous à rompre les chaînes
Apprends-nous à briser la haine
Apprends-nous à tracer les lignes de la mémoire
« Je t'aime et des hommes meurent »
Je t'aime et des hommes tombent
Je t'aime et la nuit descend sur ta ville de rêve

Il vient vêtu d'une étoile
Ses yeux sont de pluie, ses cheveux de terre
Dans ses mains, il tient une fleur
Sauras-tu nous dire ?

Pourras-tu écrire ?
Arriveras-tu à franchir le silence ?

Nour prend son courage à deux mains, portée par la voix, soulevée par le chant, elle traverse la rue. Ele marche avec l'enfant, à l'endroit-même balayé par les balles, quelques minutes auparavant. La rue est calme. les fusils se sont tus. Les yeux, derrière les murs, semblent regarder avec étonnement. Les mains, derrière les fusils, semblent arrêtées, frappées de paralysie. Les visages, derrière la haine, semblent surpris, transformés, pris par le chant, captivés par la voix de la femme qui continue de dominer l'espace.

Jamais plus de fusils, jamais plus de canons
Jamais plus d'épées frappant sur la moisson
Apprends-nous à aimer nos frères qui marchent en titubant

J'ai compris dans la souffrance
J'ai trouvé dans les larmes
J'ai crié dans le désert
Le chemin s'est ouvert
Et j'ai vu l'étoile de vie
Et j'ai bu l'eau des sources
De mon pays refleuri.

Nour et l'enfant descendent la rue, en se tenant par la main. Ils passent les sacs de sable, accumulés au coin des rues, paravents des chocs de la bataille. Ils avancent sur l'asphalte trouée par la violence. Ils dépassent la maison qui tirait sur le guérillero, quelques minutes avant. Ils franchissent l'une des lignes de démarcation, devenue médiane de silence.

Ils arrivent à ce qui reste du conservatoire : des arcades à moitié écroulées, des murs en ruine, des morceaux d'instruments parsemant le sol - cordes de violon, touches de pianos, bouts de bois, détritus de corps qui furent des instruments vibrants et mélodieux. Nour gémit. Pourquoi s'être acharné avec tant de haine sur la mélodie de ce pays, déjà tellement atteint ? Pourquoi avoir visé, au cœur même de sa chanson ? Pourquoi ce vandalisme ? Le feu des balles n'a-t-il pas suffi ? Fallait-il aussi des haches, des pieux et des scies pour frapper, casser, broyer le bois, les cordes, les touches, les clés, et même le cuivre des trompettes et des flûtes ?

Quel désastre ! se lamente la femme. Quelle dévastation ! Pourquoi ? Etait-ce une vengeance contre les symboles de l'Occident ? Il y avait pourtant une section orientale dans ce conservatoire. Et les cythares, les luths et les flûtes avaient aussi été visés, saccagés, piétinés.

- Pourquoi ? Pourquoi ? sanglote Nour, entraînant l'enfant qui vient de ramasser un morceau de violon. Les restes de mosaïques sont couverts de sang séché. Elle pense à la femme qu'ils viennent de quitter.

Comme elle a dû souffrir, en voyant tout cela ! Elle, qui vivait dans ce lieu, qui l'avait vu grandir, se développer, et qui avait été l'une des animatrices de sa croissance. Comme elle a dû être écorchée par le ravage de l'âme de ces lieux ! Aurais-je eu le courage de venir jusqu'ici, si elle m'avait dit ce qui m'attendait ? Pourrons-nous jamais réparer ce cataclysme ? Combien d'années faudra-t-il pour recomposer le chant de ce pays ? Même si l'argent permet d'acheter de nouveaux instruments, de nouveaux murs, de nouvelles arcades, de nouvelles mosaïques, comment ressusciter les corps ensevelis sous la pierre ? Comment arracher la haine accumulée dans ces morceaux disloqués ?

Najmé s'est habillée d'une étoile. Astre parmi les constellations, elle brille de tous les feux de la nuit. C'est le jour de son mariage, union arrangée par les familles... respectabilité des bonnes familles libanaises passant l'éponge sur un peu de drogue, puisque l'argent luit sous la cendre, et que Najmé vaut une fortune, par sa famille.

Malgré les ravages de l'héroïne, elle est encore belle, et les fards donnent à son visage un éclat surnaturel. Ses yeux posés au loin, à travers la foule venue pour l'occasion, sont toujours aussi pleins de questions et d'angoisse. Son corps, qui n'est plus innocent, connaîtra l'asservissement d'une relation décidée par la société. Ses pas sont mesurés, et comme figés au sol, à chaque rythme de la musique, à chaque étape qui la conduit vers l'homme qui décidera pour elle, vers celui qu'on lui a choisi pour qu'il lui dicte ce qu'elle doit faire ou ne pas faire, avaler ou ne pas avaler, dire ou ne pas dire, vers l'homme qui l'a prise en charge, parce qu'il a reçu une grosse somme d'argent, mais aussi parce qu'il a été attiré par Najmé, par cette révolte qu'il se réjouit de dompter, par cette étoile qu'il a hâte de posséder.

Dès lors, son visage sera toujours coloré, dessiné, souligné, et la flamme de ses yeux s'éteindra lentement, mais pour toujours cette fois. Ses gestes lui seront imposés et elle adoptera petit à petit des habitudes de soumission dans la dépendance. Le poison de la drogue la quittera peut-être, avec le temps. Son ventre se remplira de l'étiquette de l'être qui l'a convoitée pour en faire sa chose, son objet de marque. Elle portera dans son sein, un germe non-désiré, donc non-aimé. Tout comme elle n'avait pas choisi la drogue, elle n'aura pas élu l'enfant.

Elle accepte, elle consent, elle supporte. Elle ne dit rien. Elle attend.

Elle souffre des changements subis dans sa vie, et des métamorphoses de son corps, comme elle reçoit la peur, et la violence de son pays soumis aux forces extérieures. Elle avale l'oppression et la dépendance, comme son pays accueille sa déchéance.

Comme son pays, elle n'a pas choisi.

Elle avance sur le tapis rouge déployé pour l'occasion, rappel de l'été - nappe de sang, moquette de cadavres. Ses yeux brillent, comme allumés par une drogue qu'elle a oubliée pour le moment.

Elle avance, elle défile, elle évolue... au bras de son père, très présent, sûr de lui, très fier, heureux de se décharger de la responsabilité sur un autre, content de se débarrasser de sa croix - qu'un autre s'en charge, et répare la casse ! Peut-être craindra-t-elle plus un époux qu'un père, ou qu'un frère. Peut-être saura-t-il mieux la faire obéir, la plier, l'agenouiller devant sa force de mâle. Peut-être acceptera-t-elle d'être guidée par lui sur un chemin qui lui évitera des écueils, et la gardera de l'anéantissement.

Au bout du tapis, son mari l'attend, cravaté, à la dernière mode, grand-chic-parisien-coupé-pour-le-tiers-monde. Il l'a choisie, non seulement pour ce qu'elle représente - bonne-famille-libanaise-fortunée - mais aussi parce qu'elle est touchante, malgré, ou à cause de la drogue ; comme son pays est attachant, malgré, ou à cause de son drame insoluble.

Il l'a préférée parce qu'elle a subi, et qu'elle endure, comme son pays. Il se marie avec sa terre, avec la géographie de son peuple maudit. Il n'en est pas vraiment conscient. Il croit qu'il l'aime. Il pense qu'il l'a élue. Il s'imagine contrôler son existence, alors qu'il en est victime, lui aussi.

Si tu nous revenais, Najmé - étoile de notre terre, astre de notre voie lactée - si tu nous revenais, avec ton passé marqué par la haine et le désespoir, nous te retiendrions. Nous te cacherions. Nous ferions de toi une femme heureuse, une femme qui n'aurait pas connu cette flétrissure et ce rongement intérieur. Nous essaierions de te donner une joie multipliée, que personne ne pourrait t'arracher. Nous te façonnerions un collier de fleurs sauvages, que personne ne pourrait t'enlever. Nous prendrions ta souffrance, ton corps marqué de balles, ta chair trouée de vengeances, ton visage défiguré par la violence - forces qu'il t'a été impossible de contrôler, car tu naissais à la vie - et nous en ferions l'Etoile du matin. Nous les transformerions en rosée des nuits. Et nous offririons à tes pas trébuchants, les pieds de la gazelle.

Voilà comment nous répondrions à ta souffrance, si nous le pouvions. Mais le destin semble le plus fort, dans ce pays marqué par le Maktoub, et martyr de l'Histoire. Nous scrutons, fouillons, sondons, cherchons les mots, guettons la réponse, alors que tu avances sur la moquette violette de la violence, brebis innocente conduite à l'abattoir.

Si j'avais pu, je t'aurais coiffée de lait. Je t'aurais moulée de confitures. Je t'aurais donné la force que je ne connais pas encore, car je cherche toujours. J'aurais effacé tes flétrissures avec le miel de la douceur. J'aurais calmé tes brûlures avec la crème de la paix. J'aurais bandé tes blessures avec une mousseline de réconciliation. J'aurais cousu tes déchirures avec un fil de résurrection.

Si j'avais eu les moyens, j'aurais dessiné sous tes pas, le destin d'un chemin encore non-tracé - une voie conduisant vers les étoiles. Toutes les routes que je connais sont fermées. Certaines coulent vers la mer, mais c'est un autre encerclement. Si j'en avais été capable, je t'aurais prise par la main, t'encourageant à choisir la liberté, l'étoile qui se dissimule au fond de toi, et que tu te caches à toi-même. Voilà ce que je ne peux te dire que dans la souffrance et la douleur, car je ne vois pas d'issue.

Elle arpente la galerie écarlate. Ses pas sont hésitants, et tremblants. On a l'impression qu'elle plane, qu'un rien la fera tomber, ou reculer. Les pas de son père sont assurés. Le regard de son mari aussi, est sûr. Elle, elle tremble, et elle a peur. C'est son dernier voyage. Au bout de la route, l'oiseau du désert l'attend. Elle s'envolera avec lui, pour sa dernière absence, itinéraire de non-retour. Elle boira, jusqu'à la lie, le poison de son existence non-choisie.

Elle était née pour les étoiles
Pour le souffle qui coule en elle
Elle était née pour le voyage
de la terre, du ciel, et de la mer
On l'a brisée et mutilée
On l'a meurtrie, on l'a tuée
Elle est allée jusqu'à la mer
Et la mer l'a acceptée.

Adnan et Hayat descendent de Yarzé, en silence. Ils se demandent s'ils arriveront à franchir, en vie, le passage du Musée. C'est un risque de traverser la ligne de démarcation, rupture de la ville, centre de violents combats, et d'affrontements meurtriers, siège des vendettas, des confrontations des zaïmes, et des askaris, déferlement de la haine. Hayat se sent lourde, et triste. Adnan conduit avec nervosité. Dans le lointain, on entend des tirs d'artillerie lourde.

- Est-ce prudent de traverser ? demande Hayat.

- Nous avons juste le temps de franchir le passage, avant les combats. Il vaut mieux s'y hasarder, plutôt que de rester bloqués dans cette montagne qui risque de flamber, elle aussi.

Hayat ravale son angoisse. Elle tente de porter son attention sur la nature, si belle, éclatante de bourgeons, parfumée de fleurs, colorée par le soleil. Mais plus ils approchent de Beyrouth, moins il y a de fleurs, plus les champs sont carbonisés, les maisons éventrées, les bâtiments criblés de balles.

Le cœur de Hayat est étreint. Elle a de la peine à retenir ses larmes. Pourra-t-elle, saura-t-elle exprimer ce qu'elle ressent, face à cette guerre qu'elle essaie de comprendre, face à sa vie qu'elle raconte morceau par morceau, face à son pays écartelé monstrueusement ?

Ils arrivent au Musée détruit - colonnes à moitié effondrées, percées de balles, façade lépreuse, escaliers croulants, fenêtres cassées. Devant, des canons sont braqués. Perchés sur leurs sommets, des hommes en uniforme sont à l'affût, prêts à tirer à la moindre incartade, à la plus petite anomalie, au plus faible signal.

Le passage est presque désert. Une seule voiture s'est aventurée cinq minutes avant Adnan, et a déjà franchi le premier barrage. Ce vide est mauvais signe. Il annonce la reprise des batailles. Les gens ont peur. Ils se sont tapis dans leurs abris. Comme pour mieux marquer l'inquiétude qui règne, de fortes explosions retentissent dans les vieux souks.

Adnan et Hayat franchissent le premier barrage, facilement. Les miliciens qui leur demandent leurs papiers, ont l'air fatigués, pressés d'en finir. Entre les deux points de rupture qui coupent la ville, la ligne de démarcation s'étend, bordée de fils barbelés, de maisons en ruines, d'immeubles effondrés, de canons braqués, d'askaris cachés derrière leurs engins de mort. C'est le khat-al-tamasse de la désolation, le no-man's land de la terreur, la ligne verte du non-retour.

Ils roulent crispés, dans ce paysage apocalyptique. Hayat retient son souffle. Adnan est tendu à l'extrême, attentif à chaque heurt, à chaque bruit. Un silence de mort règne, coupé par les salves des souks. L'écho renvoie les sons métalliques qui rebondissent sur les pierres fissurées, déjà pulvérisées.

Ils atteignent l'autre barrage. La milice qui contrôle, examine leurs papiers, et le coffre de la voiture. Elle leur fait signe de passer. Ils sont déjà de l'autre côté de la ville. Il y a un mouvement dans la rue - voitures qui circulent, passants qui courent. Hayat reprend son souffle. Adnan se détend. Ils sont quelque peu rassurés par cette faible reprise de vie.

Arrivée chez elle, Hayat se blottit dans les bras de Adnan qui l'étreint longuement et en silence.

- J'ai eu très peur, murmure-t-elle.

- Moi aussi, dit-il. Pourtant, depuis le début de la guerre, je fais cette navette presque tous les jours. Mais je ne m'y habituerai jamais. C'est un supplice journalier, une torture de l'âme et des nerfs. Et chaque fois, je me dis que c'est là que l'espoir peut renaître, que dans ce lieu, la reconstruction et la renaissance doivent jaillir.

Hayat est au bord des larmes.

- J'aimerais tellement pouvoir exprimer ce que je ressens et vis. Mais je me demande si c'est possible. Tout est tellement disproportionné. Il me semble que ce que j'écris est trop violent et pathétique, ou trop naïf et simple.

Adnan la regarde intensément, avec amour.

- Explique-moi ce qui se passe en toi. Tu vois, c'est moi qui t'interroge cette fois. Mais d'abord, laisse-moi nous préparer un apéritif. Nous en avons besoin après toutes ces émotions.

Pendant que Adnan mélange des cocktails, Hayat réchauffe des plats, allume des bougies. Dehors, la canonnade s'intensifie. Elle revoit les miliciens fatigués, perchés sur les canons, cachés derrière les sacs de sable, qu'ils viennent de quitter. Sont-ils en train de tirer ? Comment peuvent-ils envoyer roquettes et balles sur une population civile sans défense, laissée à la dérive ? Si c'est eux, comment justifient-ils leurs crimes ? D'où leur vient ce cynisme ? Elle a de la peine à les imaginer dans ce sinistre travail. On lui a expliqué qu'ils étaient souvent drogués. Faut-il qu'ils soient blindés et aveuglés pour s'adonner au massacre de leur peuple, et à la destruction de leur ville !

Adnan lui tend un verre.

- Bois, ça te calmera. Il ne sert à rien de s'énerver. Prenons notre temps. Cette guerre m'a appris la patience. Même si nous devons aller dans l'abri, sans avoir le temps de manger, mieux vaut le faire tranquillement.

Il l'accompagne vers le sofa, l'aide à s'asseoir.

- Raconte-moi ce que tu écris. Explique-moi ce qui se passe en toi. J'aimerais arriver à mieux te comprendre.

- J'ai commencé mon roman à Chicago, bien que toute l'action se passe à Beyrouth, dans la guerre. Il y a dans ces deux villes, éloignées géographiquement, une même violence prenant ses racines dans une sexualité mal vécue. Ce sont deux villes que j'aime, qui me fascinent. L'une à l'apparence prospère, à la croissance et au développement gigantesques, maintient un équilibre précaire sur une société morcelée et divisée par le racisme et le sexisme, trouvant leur expression dans tout un système de peur : viols, femmes battues, enfants persécutés, homophobies, pornographies, et autres oppressions de toutes sortes. L'autre a déjà atteint un niveau avancé de désintégration et de rupture infernales, prenant racine dans un système tribal : vengeance du sang par le sang, sauvegarde de la virginité des filles, possession violente des femmes pour la reproduction des fils, claustration des femmes qu'on acquiert et garde, comme la terre qu'on mutile à volonté. Je ne sais pas si j'arriverai à décrire l'horreur qui les rongent, et la souffrance que je ressens. J'ai l'impression de pousser des cris aigus que personne ne veut écouter. Je suis dans une impasse dans ce que j'écris, et dans ma vie.

Dehors, les explosions et les salves de mitrailleuses ont redoublé d'intensité. Adnan a écouté Hayat avec émotion. Il lui prend les mains.

- Comment as-tu construit ce roman ? Quelle forme lui as-tu donné ?

- J'y ai mis des personnages réels et fictifs. Je décris des situations que j'ai vécues, qu'on m'a racontées, ou que j'ai imaginées. L'un des personnages réels est l'une de mes étudiantes dont l'histoire m'a bouleversée. Son drame m'a donné à réfléchir à tel point que je me suis identifiée à elle, et à travers elle, à la tragédie de ce pays.

- Parle-moi d'elle.

- Elle se drogue à l'héroïne, pour ne plus entendre le son des bombes, pour ne plus sentir la violence des combats, pour ne plus respirer l'odeur du sang. Elle était venue me confier son dilemme : vouloir arrêter mais ne pas pouvoir, se désintoxiquer en dehors du pays, mais retomber fatalement au retour. Je ne voyais pas de solution, mais je lui avais conseillé d'écrire son journal, de parler de son expérience, pour que d'autres soient alertés, pour que le monde entende son cri de douleur. Je viens d'apprendre que sa famille l'a mariée à un médecin riche. Je suis très inquiète pour elle.

- Pour s'en débarrasser, qu'un autre se charge du fardeau de responsabilité ! C'est typique !

- Je n'ai pas réussi à l'aider. Je suis tourmentée par son sort, et par celui de la jeunesse de ce pays.

- Que peux-tu faire contre toutes les forces liguées pour les détruire, elle et ce pays ?

- J'ai confiance dans les jeunes que je côtoie dans mes

classes. L'enthousiasme qu'ils mettent à discuter, à étudier, et à analyser, me remplit d'espoir. Je crois qu'ils arriveront à sortir du bourbier dans lequel leurs dirigeants les ont mis, et qu'ils reconstruiront ce pays...

Sa phrase est coupée par une explosion si forte que Hayat et Adnan se retrouvent dans les bras l'un de l'autre, tremblant de peur. Dans la rue, des cris de femmes, d'enfants et des sirènes retentissent. Hayat fait un mouvement en direction de la fenêtre. Adnan la retient.

- Ne bouge pas ! Si c'est de la dynamite, il risque d'y en avoir une seconde. Si c'est un obus, nous ferions mieux de descendre dans l'abri.

- On étouffe dans l'abri. Je n'ai vraiment pas envie d'y aller. S'il faut mourir, je préfère être dans mon lit, avec toi !

Adnan la serre dans ses bras.

- Tu as raison. Viens, nous nous donnerons du courage.

Ils glissent, entrelacés, dans le lit. Chaque explosion les secoue, et resserre leur étreinte. Ils s'endorment dans le vacarme des obus, tranquillisés par l'amour qu'ils se communiquent, rassurés par la présence l'un de l'autre, apaisés par la douceur du contact de leurs corps.

Plus tard, dans la nuit, lorsque la bataille s'est arrêtée, l'orage calmé, Hayat se lève. Elle allume la lampe à gaz, reprend ses souvenirs, et écrit.

Dans son sillon ensorcelant, il cherche à m'entraîner
tentation de retrouver une joie première
loin des bruits de la guerre
Dans nos blessures communes
il y aurait des printemps à refleurir
De nos continents meurtris
nous tisserions, moudrions, fabriquerions
un miel d'amour
la trajectoire d'une étoile filante
Liberta, liberté, liberty, hurriyah !
chanson qui nous délivrera...
Puis ce silence
puis ces regards entraînant la rupture
ce besoin d'homme de conquêtes

qui perd, disloque la vie,
Pourquoi ?

Il veut l'amour à trois
désir, érotisme, langage des corps,
nouvelles conventions
récupération de la libération de la femme
murmure des corps qui se touchent, se cherchent,
s'enlacent, se lassent des nouvelles habitudes.
L'amour ?
Il se trouve ailleurs
dépassement de soi
envolée vers la beauté
totalité des sentiments
que rien ne peut effacer
même pas la mort, même pas la séparation.
L'amour qu'il exprime ?
désir de domination
auditoire féminin indulgent
soumission apprise dès l'enfance
arrêt de l'épanouissement
de la croissance de l'autre
perpétuation des rôles traditionnels.

Elle marchait dans la rue, en direction du cimetière
Elle m'a demandé si c'était un jardin
je lui ai dit que c'était un cimetière
que l'entrée était de l'autre côté
Elle a soupiré, pris une autre direction
Je suis arrivée chez eux
Il souffrait, de son épaule douloureuse,
de son cœur meurtri, de sa femme blessée,
de ses amours malheureux
Je lui ai ouvert les bras
Il s'est blotti tendrement
J'aurais voulu l'aimer, l'aimer vraiment
Ce n'est pas possible
Il y a trop d'ombres entre nous
Il tient deux femmes entre ses mains
Pour lui, c'est l'apogée de l'extase

Pour moi, l'abnégation de ma lutte
Il veut planter un cèdre près de sa tombe
Il y a trop de tombes, de cimetières dans ma vie
J'ai besoin de vie, d'amour
de croire que demain sera pour nous
que son corps sera mon jardin, mon cèdre
ses yeux, les tourterelles de ma plage déserte
Toi qui as tant à donner
Toi qui as tant à vivre
Fais-nous voir le soleil
Fais-nous sentir l'amour
Fais-nous comprendre l'espérance
conduisant à une mer renouvelée.

Hayat regarde Adnan qui dort, et n'a pas bougé. Elle
éteint la lampe, et retourne vers le lit. Elle se glisse contre
lui, qui se retourne à son contact, et la prend dans ses bras,
dans son demi-sommeil. Elle reçoit son étreinte, comme un
adieu. Elle se serre contre lui, et l'embrasse en pleurant. Ses
larmes coulent lentement. Elle pense au voyage qui approche, à la séparation, aux autres adieux de sa vie solitaire.
N'arrivant pas à se rendormir, elle se relève, et recommence
à écrire.

Je pleure... ton indifférence
Je pleure les longs étés lumineux de mon pays ensoleillé
Je pleure la mer brûlante déferlant sur les plages
Je pleure la paix des matins
la levée du berger à la percée de l'étoile
l'enfant ramassant les orties
l'olive et l'aubergine partagés entre amis
quand on parlait de l'avenir
toutes les mains se serraient
dans la chaleur du crépuscule.

Je pleure ton masque de compréhension
ton acceptation de ma famille
le vin bu avec mon père
la prière partagée avec ma mère
les colliers enfilés pour ma sœur

l'aquarelle donnée à mon frère
Je pleure la maison que tu avais décorée
sur une terrrasse écrasée par la ville
quand ta main cherchait la mienne
dans la fraîcheur du soir.

Si je pleure toutes ces choses
dans le vide d'un pays sourd
alourdi par son opulence
C'est parce que ton indifférence
a détruit mon pays.

Séparation.

Abandonnée
dans une lutte perdue d'avance
Je t'ai appelé nuit après nuit
Prenant l'écho pour un espoir
Le silence pour une réponse

Ton bras ne dessine plus ma hanche
Tes doigts ne jouent plus sur mes seins
Ton calme n'est plus l'appui de ma force
Tes paroles ne justifient plus ma foi.

Je dois crier seule la douleur qui me ronge
Et seule, je dois parler de ma grand-mère
de mes sœurs, de mon père, de ma mère,
de ce passé lourd de préjugés
qu'ensemble, nous avions traversé.

Mais mon cœur n'est pas une éponge
Mes mains ne sont pas des tamis
Mon corps une cuvette trouée
Mes sentiments un paillasson à piétiner.
J'ai rempli le vide d'idéaux,
la solitude de dynamisme
le néant d'acier coulé dans la fonte
le désespoir de volonté
la vallée de sources puisées dans la montagne.

Toute ma vie tend vers l'apothéose finale
où j'atteindrai mon but
projeté dans les larmes.

Nour et Raja descendent la rue bordée d'immeubles à moitié démolis, pierres fissurées filtrant de l'herbe et une végétation sauvage. Lourd et fatigué, l'enfant traîne. Elle doit le tirer. Ils aperçoivent une vieille maison libanaise au toit rouge à moitié écroulé - quelques tuiles rouges ici et là - le côté droit de l'habitation, entièrement détruit, la pierre carbonisée. Ce qui fut un jardin est une broussaille étrange, jamais vue auparavent.

- Ça doit être la maison, dit Nour.

Raja se dégage des doigts de Nour, et court vers la demeure. Un jeune homme sort, et les voit. Nour remarque avec étonnement sa chemise et son pantalon très simples, son regard ouvert. D'habitude, les jeunes gens du pays sont en uniforme, avec des armes. Elle s'approche.

- Nous cherchions père Boulos ?

Le jeune homme la regarde avec une expression d'abattement, et de chagrin. Ses yeux reflètent une profonde tristesse.

- Père Boulos est mort ! Il a été assassiné hier, alors qu'il se rendait pour une visite de condoléances. Quelques-uns, dont moi-même, le veillons avant l'enterrement. Tu peux descendre, mais fais attention. L'entrée est difficile, les marches branlantes.

Nour reçoit ces mots comme un coup de poignard. Un monde s'écroule. Elle est devenue très pâle. Son courage se retire brusquement. Son sang s'est figé dans ses veines. Elle frissonne, trébuche sur une pierre. Le jeune homme la retient.

139

- Ce n'est pas vrai. Ce n'est pas possible, murmure-t-elle en s'agrippant à lui.

Il la fait s'asseoir sur le pas de la porte.

- Ne bouge pas. Je vais t'apporter quelque chose à boire.

Il disparaît dans la maison. Raja s'approche de sa mère, lui tient les mains.

- Pourquoi, oh pourquoi ? répète-t-elle.

Dans la rue qu'ils viennent de quitter, la bataille a repris. Des rafales de balles crépitent sans arrêt. Des bombes éclatent si près, qu'ils sont projetés dans la maison, tremblants et muets de peur. Ils se retrouvent près de l'escalier, Nour serrant Raja contre son cœur qui bat à tout rompre. Le jeune homme est revenu, et il lui tend un verre de limonade à la fleur d'oranger.

- Tiens, bois. Ça te redonnera du courage. Et ne sois pas abattue. Père Boulos est toujours avec nous. Sa vie, ses écrits, son exemple demeurent. Nous devons continuer son travail de réconciliation. Il en va de l'existence de ce pays, et de tout le Moyen-Orient...

Sa phrase est coupée par le bruit d'un obus, tombé à quelques mètres de la maison. Nour, qui avait porté le verre à ses lèvres, en renverse la moitié. Raja se blottit contre elle, en criant.

- Descendons au sous-sol, ordonne le jeune homme.

Il aide Nour et l'enfant qui trébuchent dans l'escalier sombre. Le sous-sol est plongé dans la pénombre. Petit à petit, Nour distingue des formes accroupies, agenouillées autour du lit mortuaire.

Elle discerne les traits du visage reposant sur le lit. Ils reflètent une bonté et une douceur infinies, une sérénité inaltérable. Elle s'approche de lui, saisit ses mains diaphanes.

- Fallait-il ta mort ? Fallait-il ? crie-t-elle, tandis que ses larmes coulent, sans qu'elle puisse les retenir.

Elle se recueille près du lit, et concentre ses pensées sur son passé, son présent et son futur incarnés dans cette mort qui mutile en elle l'espoir.

Comme elle aurait aimé pouvoir lui parler et lui demander ce qui lui avait donné une telle quiétude, au milieu de tant de violence et de haine ! Comment avait-il accueilli ses assassins ?

Elle le contemple à travers ses larmes, s'effondre sur le lit. Toute la détresse accumulée durant les dernières semaines, éclate. Elle est épuisée, à bout de ressorts.

Les formes autour du lit l'entourent, la transportent sur un divan, la raniment avec une serviette imbibée d'eau fraîche. Elle se sent prise en charge par ces mains amicales. Ses muscles se détendent lentement. Elle sombre dans un profond sommeil, entrecoupé par les obus qui s'écrasent au-dessus d'eux, la font sursauter, et gémir.

Raja s'est recroquevillé au pied du lit et dort, lui aussi bercé par la paix qui règne dans cet abri, malgré la rage d'hostilité et de virulence qui se déverse à l'extérieur.

Au petit matin, Nour est réveillée par une voix très douce qui chante pour le père Boulos. Le refrain a des échos nostalgiques. Le timbre aux accents chauds et purs, balaie la mort et la tristesse de la nuit éclatée d'obus et de vengeances.

Porte-nous au-dessus du temps
Toi qui as compris la réconciliation, et l'amour véritable
Toi qui as vu la foi dans toute sa splendeur
Loin des sectes, et des divisions fanatiques
Toi qui as su vivre le pardon et la transformation de l'être
Apprends-nous à briser les chaînes
Apprends-nous à casser la haine
Apprends-nous à tracer les lignes de la mémoire...

Nour regarde autour d'elle. Les murs sont couverts de versets bibliques, coraniques et de la Torah. Ils se ressemblent. Le message souligné par les différents textes, semble identique. La Torah dit : « Le Seigneur est ta lumière éternelle ». Les psaumes ajoutent : « Le Seigneur est ma lumière et mon salut, de qui aurais-je peur ? ». L'Evangile répond : « Il vous a appelés loin des ténèbres, dans Sa lumière merveilleuse ». Et le Coran conclut : « Dieu est la lumière des cieux et de la terre... Dieu conduit à Sa lumière celui qu'Il veut ».

Comment les germes de tant de lumière ont-ils pu être utilisés pour faire pousser tant de ténèbres ? s'interroge Nour. Si tous croyaient en cette lumière, et situaient leur pas à travers elle, y aurait-il autant d'amertume et de divisions ? Celui qui avait compris ce mystère, et fait le travail nécessaire pour un rapprochement, avait été tué lâchement. Pourquoi ? Nour frémit en y réfléchissant. Raja se réveilla en chantonnant :

Il n'y a plus de soleil
Il n'y a plus de soleil
Mon pays de poussière
Est passé sous la mer...

- Viens, lui dit Nour. Nous allons partir.

Elle a décidé de franchir le pont de la mort. Elle ne reculera pas, n'assistera pas à l'enterrement. Que pourrait-elle pour lui, de toute façon ? Il est préférable qu'ils franchissent la ligne de démarcation, et arrivent de l'autre côté, avant la reprise des combats.

Nour et Raja quittent la maison du père Boulos. Les tirs de la nuit se sont arrêtés. Le calme semble régner, un calme étonnant après la tempête. Une vie timide se profile au bout des rues, où les habitants commencent à sortir pour faire quelques courses, ou la queue devant une boulangerie.

Raja trotte, en chantonnant son refrain du matin.

Il n'y a plus de soleil...

- Pourquoi ces mots ? se demande Nour.

Le nombre de jeunes gens en uniforme, porteur d'armes, augmente, tandis qu'ils se rapprochent du pont de la mort. Nour les observe avec étonnement : certains ont l'air si jeunes ! Comment peuvent-ils tenir des armes si lourdes ? Comment peuvent-ils avancer aussi allègrement vers le fratricide ?

Ils déambulent, l'arrogance et la mort inscrites sur leur visage. Certains marchent, le fusil entre les jambes écartées, gangsters de Western libanais, imitation hollywoodienne.

Un bruit de ferraille retentit derrière eux. Ils sont témoins d'un déploiement de canons, lance-roquettes, camions remplis de jeunes militaires, brandissant des mitrailleuses de toutes sortes. Nour panique. Où vont-ils ? S'acheminent-ils vers le centre ? Elle est soudain effrayée par ce qui l'attend, au bout de cette route, où la mort semble avoir donné rendez-vous à son pays. Raja a compris son inquiétude. Il resserre l'étreinte de sa main. Ses yeux se posent sur le défilé, puis sur sa mère. Elle lui explique ses craintes :

- Nous allons vers le cœur du problème. Cette journée sera difficile. Assisterons-nous au dénouement de notre tragédie ? Comprendrons-nous ce qui se trame, à cette croisée des routes ? Le pont de la mort nous réserve-t-il l'ultime réponse ? Est-ce qu'en voyant l'horreur, nous arriverons à capter une lueur d'espoir ? Est-ce qu'en confrontant la mort, nous saisirons la solution ? Chante, chante, implore-t-elle à l'enfant. Nous en avons davantage besoin qu'hier.

Ils élèvent leurs voix dans la bataille, se souvenant de la sérénité de celui qu'il viennent de quitter, et que l'on enterre ce jour-là :

Il vient vêtu d'une étoile
Ses yeux sont de pluie
Ses cheveux de terre
Dans ses mains, il tient une fleur

Sauras-tu effacer la peur ?
Apprends-nous à rompre les chaînes
Apprends-nous à tracer les lignes de la mémoire
Je t'aime et la nuit descend
sur ta ville de rêve...

Raja semble fixé sur sa mélodie du matin :

Il n'y a plus de soleil...

Le chemin devient plus silencieux, les maisons plus démolies. Les obus ont troué d'énormes morceaux dans des immeubles solides, en pierre de taille. L'impact des balles s'étend, comme une lèpre inguérissable. Certains bâtiments sont écroulés, comme des jeux de cartes.

Un silence effrayant règne, comme immobilisé dans l'attente d'un orage violent, comme arrêté avant l'arrivée du cyclone détruisant tout sur son passage. Cette ville, coupée en deux, semble morte pour toujours, à l'endroit de la croisée des routes, au point de rencontre des idées, à la démarcation du brassage des cultures.

- Quel spectacle apocalyptique ! pense Nour. L'espoir du monde semble crucifié à jamais dans la destruction de ce beau pays. Comment une telle atteinte mortelle au dialogue, au renouveau, à la liberté, à la rencontre des continents, s'est-elle produite ? C'est comme si toute une civilisation avait été anéantie. Pourquoi un amour qui s'épanouit doit-il rencontrer tant d'obstacles ? Comment tant d'harmonie et de beauté ont-elles pu être sapées à la base ?

Elle est plongée dans ses réflexions. Prise par ses pensées douloureuses, elle n'a pas entendu le bruit de la gachette. Raja la tire par la manche. Un milicien qui vient de les interpeler, s'impatiente, et charge sa mitrailleuse. Il a braqué le canon du fusil contre eux. Un pas de plus, et il tirait.

Nour est figée par la stupeur. Elle regarde le garçon, si jeune qu'il pourrait être son fils. Il est entouré d'une bande de jeunes arrogants armés qui ricanent. Elle lui fait signe de ne pas décharger, tout en s'approchant d'eux. Elle se demande d'où lui vient tant de courage, alors qu'elle se sent terrassée par la terreur. Elle est devant lui, calme et droite.

- Où vas-tu ? crie-t-il.

- Je traverse la ville, rejoindre mon frère. Ma maison a été détruite.

- Es-tu folle ? La ville est fermée, les routes interdites. Et qu'est-ce que tu portes, une bombe ? Ouvre-moi ça, dit-il, en désignant le panier.

Nour défait le foulard, en tremblant. Elle a toujours la confiture du père Boulos, la montre en or de leur hôte, et quelques morceaux de pain imbibés d'huile et de thym.

Le milicien saisit la montre, et la met dans sa poche. Atterrée, Nour n'ose rien dire. Les autres, autour d'eux, observent, distants et cyniques, se divertissant du spectacle : Nour et Raja humiliés, appeurés, comme de pauvres oiseaux déplumés et meurtris.

Mais l'un d'entre eux, un grand brun, se dégage de la troupe et accoste le voleur. Il ordonne :

- Laisse cette femme tranquille ! Ne vois-tu pas qu'elle cherche à sauver son fils ? Rends-lui sa montre ! Pourquoi la lui as-tu prise ?

L'autre le toise avec défi.

- Cette montre est à moi, je la garde. Et toi, qu'as-tu à te soucier de ces imbéciles ? Tu es aussi fou qu'eux. Je m'en suis aperçu quand tu as changé de nom.

Il fait un geste obscène sur son front.

- Tu as perdu la tête ! On aurait dû t'envoyer à Asfourieh, au lieu de te placer au front où tu agis comme une femmelette.

Le grand jeune homme brun se détourne brusquement. Il saisit Nour par le bras, et commande ;

- Viens, je te ferai passer de l'autre côté, toi et ton fils. Ce sont eux qui sont insensés et sauvages. Tu les as vus ! Ils se croient au front ! Quand comprendront-ils que le front se trouve à la frontière d'Israël, et pas ici ? Ce sont des lâches, de véritables couards !

- Comment se fait-il que tu sois différent ? Pourquoi te trouves-tu là ? hasarde Nour, qui le voyant déterminé, le suit avec Raja.

- Oh ! nous ne sommes pas tous comme ceux-là, annonce-t-il.

Il ajuste sa mitrailleuse, prêt à tirer.

- Tu as entendu ce qu'il a dit - que j'étais devenu fou en changeant de nom - c'est le contraire qui s'est produit : j'ai changé de nom, quand je suis devenu lucide.

- Comment t'appelles-tu ? demande Nour, de plus en plus intriguée.

- Je m'appelais Jihad, jusqu'au jour où j'ai rencontré un être qui a transformé ma vie. J'ai trouvé cette appellation trop agressive, convenant mal à mon état d'âme. J'ai alors adopté celle de Raja.

- Comme mon fils ! Tu t'appelles comme mon fils, s'exclame Nour. Quel beau nom d'espoir ! Comment en es-tu arrivé là ?

Raja et elle marchent avec vivacité, soutenus par leur protecteur, qui continue :

- Maintenant, je travaille à la reconstruction du pays, et non plus à sa destruction. Je te l'ai dit : ma route a croisé celle d'un individu qui l'a métamorphosée. J'ai vu la lumière et l'amour incarnés dans cet être hors du commun. Il n'est plus en vie, assassiné lâchement. Mais nous sommes là, nous devons prendre la relève.

- Tu vois juste, encourage Nour. Ça devra commencer ici, j'en suis persuadée maintenant.

Elle aimerait lui poser d'autres questions, mais ils sont déjà très engagés sur le pont de la mort. L'atmosphère est tendue à l'extrême.

- C'est pour ça que je suis là, même si c'est très dur, appuie le jeune homme avec passion.

Nour le regarde avec admiration. Quel beau jeune homme, débordant d'espoir ! Mais les muscles de son visage se sont crispés. Il resserre l'étreinte de sa mitraillette. Elle le sent comme à l'affût d'un danger imminent. Soudain, il leur ordonne de s'aplatir contre le sol, tandis qu'il rampe, balayant le pont de balles, en direction des projectiles lancés contre eux.

- Courez, courez, ordonne-t-il. Ne m'attendez pas. Filez à l'abri de l'autre côté, derrière les sacs de sable.

Il leur fait un mur de son corps, un paravent des balles de sa mitrailleuse, un nuage de tendresse tissé de luttes et d'attente d'un monde meilleur. La femme et l'enfant s'élancent, volent, les forces décuplées par la peur. Ils ont l'impression de planer dans un cauchemar. Le cliquetis des balles rebondit sur le passage. Un arsenal d'armes automatiques orchestre une composition aux sons insoutenables.

- C'est l'accompagnement de sa mort, le violon de son décès ! hurle Nour, tandis qu'ils atteignent le monticule, juste à temps.

Ils se retournent, regardent à travers les sacs, et voient Raja, leur sauveur, baignant dans une flaque de sang, le corps troué de balles. Nour prend son fils dans ses bras et sanglote. Eux sont sains et saufs, sans une seule égratignure. Ils ont franchi la ligne de démarcation, folie créée par les hommes de leur pays. L'un d'eux a offert sa vie pour eux. Nour donne libre cours à ses larmes, face à cette humanité, face à ce sacrifice. Comme pour le père Boulos, elle crie :

- Fallait-il, fallait-il ta mort ?

Raja essaie de la consoler, en serrant très fort ses bras autour de son cou. Elle se demande si elle aura le courage de continuer. Et qui prendra la relève, à cet endroit straté-

146

gique de la croisée des routes ? Qui brandira le drapeau du pardon et de la guérison, dans ce lieu qui ne connaît que morts, destructions et vengeances, depuis plus de douze ans ? Qui tissera les liens pour rapiécer cette ville si morcelée ? Il y en a d'autres. « Je ne suis pas le seul. D'autres pensent comme moi, » leur avait-il dit. Il ne faut pas désespérer. S'il y en a d'autres, l'espoir peut renaître ! Elle souhaite tant que le drame prenne fin. Que trouveront-ils au bout du chemin ?

Elle se relève dans sa détresse. Ils doivent aller de l'avant. Porteurs de messages importants, ils n'ont pas le droit de se laisser aller au découragement. Ils ont contemplé la déchirure profonde de leur pays de cèdres et de cendres. Leur tâche est de la parler, de la chanter, de l'écrire. Il est impérieux qu'ils la crient, jusqu'à ce que l'espoir renaisse. Il y va de la survie de tout un peuple. Un pays entier est en jeu. Puisqu'ils ont pu traverser le pont de la mort, alors tout n'est pas perdu.

Nour et Raja s'enfoncent dans la ville détruite, le cœur brûlant de fièvre et de tristesse. A travers leurs larmes, ils voient l'horizon éclairé de lumière. Ils aperçoivent la mer, scintillant dans le lointain, à travers les ruines. Un chant nouveau leur est donné dans toute la souffrance du monde qu'ils viennent de vivre.

EPILOGUE

- Liban, pays mort-né !

Ces mots, lancés avec désinvolture, à travers la pièce, par-dessus la table recouverte de plats libanais, choisis et apprê-tés avec soin, l'atteignent en plein cœur. Comme un poi-gnard, plongé déjà plusieurs fois, dans son cœur de Liba-naise, elle connaît trop bien la douleur d'une blessure répé-tée, pendant treize longues années de guerre, déchirure mor-telle de cèdres et de cendres de son pays vivant son drame insoluble.

L'Américain, grand blond aux yeux bleus inquisiteurs, se rengorge, sûr de sa suffisance et de ses connaissances. Il n'a pas l'air de se rendre compte de la portée de sa phrase. Il se ressert de mahshi, et continue :

- Ce n'est pas moi qui l'ai dit, ma chère. Des amis à moi, Libanais, m'ont affirmé que le Liban n'a aucune rai-son historique de survie.

Elle a envie de lui répondre qu'aucun pays n'a de rai-son historique de survie. Mais elle se tait, face à la bêtise de l'argument, face à la stupidité de celui, et de tous ceux qui se croient supérieurs, parce qu'ils ont envoyé une fusée sur la lune ou qu'ils ont inventé la boussole, ou le thermo-mètre. Elle pense aux Phéniciens, ancêtres de son sol natal, créateurs de l'alphabet - tant de preuves à avancer - mais à quoi bon ?

Elle prend le plat de salade, composée de persil, de tomates, d'oignons verts finement coupés, mélangés au bourghol, le tout arrosé d'huile d'olives et de citron. Elle le tend à l'Américain.

- Tu aimes le tabboulé, salade nationale libanaise. Veux-tu aussi du koubbé, plat libanais par excellence, et du majadra, des manaïches, du mahshi koussa, et du mahshi malfouf ?

- Tous ces plats sont délicieux. Tu fais vraiment bien la cuisine, admet-il, en reprenant de chaque plat.

Les autres invités - deux femmes assises entre trois hommes, un Français et deux Libanais - s'étendent aussi en compliments sur la mezzée si bien préparée. Elle les prie de se resservir.

Le Libanais, répondant à l'Américain, amorce le débat :

- On ne peut pas vraiment dire ce qui a provoqué la guerre au Liban. Il est impossible de préciser son début. Tout le monde en parlait. On savait qu'elle devait arriver, mais on n'y était pas préparés.

Il s'attaque à un rouleau de chou farci. L'autre Libanais enchaîne :

- Le Liban est né d'un équilibre externe à lui-même. C'est ce qui l'a porté, de 1943, date officielle de l'Indépendance, jusqu'en 1975, début du conflit. Le pouvoir d'Etat, remis en question au Liban, ne l'a pas été sur la base de contradictions internes, telles que luttes de classes, sociales ou économiques, mais en fonction d'un facteur étranger. En 1958, la remise en cause de l'Etat libanais est venue de la montée, de l'expansion du nassérisme. L'entité libanaise, que nous cherchons, repose sur un équilibre entre les grandes confessions principales, maintenue par l'égalité entre les ghalabas - dominances au niveau politique.

Il prend une courgette farcie. Le premier continue :

- Le seul groupe vraiment organisé, au début de la guerre, était les Palestiniens. Les mouvements de gauche se sont servis d'eux. Ils les ont utilisés, pour arriver à leurs fins politiques.

Il avale une grande gorgée d'arak. Le deuxième appuie :

- Nous avions cru que le discours de la résistance palestinienne était celui des masses. Il s'est avéré, comme le nassérien, voix des confessions. Le nassérien était un discours qui, au nom de l'arabisme, utilisait la nation arabe, pour servir les intérêts immédiats de la bourgeoisie, et des gens au pouvoir en Egypte. Le Baath a fait de même en Syrie, exploitant le concept de nationalisme arabe, au profit des couches dirigeantes. Avec le Fath, ça a été identique. L'élément révolutionnaire s'est perdu quelque part. Toutes les belles phrases, entendues à l'époque - la révolution palestinienne à l'avant-garde de la révolution arabe, libérer la Palestine en unifiant le monde arabe, le chemin de l'unité de la Palestine, en passant par l'alliance arabe, ou la voie de la cohésion arabe par la libération de la Palestine - se sont envolées...

Il se verse aussi un grand verre d'arak. Le premier reprend :

- La crise du Liban est arrivée au moment où les confessions ont voulu modifier leur rapport au pouvoir. La présence de la résistance palestinienne a forcé le jeu. Nous n'avions pas compris, à l'époque, le mécanisme interne de la société palestinienne. Nous ne réalisions pas à quel point cette résistance allait s'enfermer dans sa spécificité, son ethnocentrisme palestinien. On croyait pouvoir s'en servir, pour le servir, la déconstruire, pour la reconstruire.

L'Américain remarque, ironiquement :

- En somme, l'ethnocentrisme que vous décrivez, on le retrouve aussi chez les Phalangistes.

- Oui, exactement, affirme le premier. Ce sont des Phalangistes palestiniens ! Après dix ans de lutte pour leur cause, j'ai le droit de dire ça. Et je dirais même plus : Kiss Oukhtoum !

Il appuie ce juron sexuel d'un geste obscène de la main. La femme, timidement, décide de parler, alors qu'elle est terrorisée par la discussion, et par les jeux de pouvoir qui s'en dégagent. Elle est consciente d'entrer, elle aussi, dans le jeu et de reprendre un discours qu'elle cherche à casser. Mais comment le faire autrement ? Comment émettre une autre voix, en restant muette ? Est-ce qu'une mélodie, chantée à cet endroit de la conversation, serait écoutée ? Ne serait-elle pas plutôt ridiculisée ? Comment avoir un impact dans pareil débat ? Elle s'y risque quand même lentement :

- Ce juron mérite d'être relevé et analysé. Il exprime un fonctionnement de pensées cachées et inavouées. Dans toute parole se cache l'inconscient, lui-même lié à la sexualité - ce n'est pas moi qui l'ai dit, mais Freud, l'un des pères de vos discours. La sexualité est un sujet tabou dans notre société. Mais pour aller à la racine des problèmes, il faudra bien que nous l'abordions. Kiss Oukhtoum - con, vagin de ta sœur, baise ta sœur ou mère du clitoris - souligne les maux cachés de notre société, les humiliations de la femme. Cette expression, utilisée par rapport à la résistance palestinienne, est frappante. Elle marque deux tutelles : le peuple palestinien et la femme.

Ce juron indique aussi une déception, face à une cause avec laquelle on a entretenu des rapports ambivalents de haine et d'amour. Croire et bâtir sur un idéal qui, en fin de compte n'en valait pas la peine, est mortifiant. Mais la question qu'il aurait fallu se poser, avant de commencer est : comment un peuple opprimé et mutilé, pouvait apporter une réponse, guérison et révolution du monde arabe ? Et il faudrait aussi s'interroger sur la satisfaction et le plaisir qu'une femme excisée et cloîtrée, peut offrir.

Pendant qu'elle parle, les autres ont repris de chaque plat. Ils mastiquent la nourriture, boivent de l'arak, observent les femmes qui ont l'air de s'ennuyer. Le premier homme libanais recommence :

- La guerre nous a appris beaucoup de choses que j'aimerais préciser. Elle nous a fait comprendre notre société, son statut, son fonctionnement, sa démocratie, son pouvoir. Elle a surpris les confessions, démunies sur le plan de la pensée, de la préparation technique et des stratégies politiques. Pour parer au plus pressé, elles ont créé les askaris, qui allaient devenir les miliciens. Un askari, bien organisé, formé techniquement, est un instrument efficace de l'auto-conservation de la confession. En plus, de son rôle militaire, il a une fonction économico-sociale. Il participe au pillage, dont il fait profiter sa clientèle - famille, amis, ère de puissance sociale. Grâce à cette influence, il construit un système de distribution des richesses, et il acquiert plus de pouvoir.

La femme, à nouveau, prend la parole. Timidement, et de manière saccadée, elle trébuche sur ses mots. Les autres ne l'écoutent pas. Ils ont l'air complètement indifférents à ses idées. Pourtant, elle doit s'exprimer. Elle doit essayer de crever l'abcès pendant qu'il est encore temps. Elle doit s'approprier cette parole, interdite pendant si longtemps, et pourquoi pas, peut-être la transformer en chant. Mais d'abord, il faut la saisir, et tenter de l'utiliser pour communiquer sa vision du monde.

- La manière d'obtenir du pouvoir, qui vient d'être décrite, rejoint ce que j'expliquais tout à l'heure. L'askari - l'homme portant le fusil - est valorisé dans la société. Il exerce une suprématie sur ceux qui l'entourent, grâce aux richesses qu'il distribue. Il obtient ces biens matériels avec son fusil, ou autres engins de guerre. Et plus il veut avoir du pouvoir sur les autres, plus il doit se servir de ses armes. Nous assistons à des guerres de tribus où les zaïm-askaris - hommes machos par excellence - maintiennent leur ère de puissance, pour sauvegarder la virginité des filles - soi-disant l'honneur de la famille - cloîtrer leurs femmes, terroriser leurs enfants, voler et piller les autres, et augmenter leur prestige.

Tout le système, à la base de notre société, doit être repensé et remis en cause. L'importance accordée à l'arme, militaire ou sexuelle se vaut. Dans la situation actuelle, on cherche à obtenir des richesses, non pour en jouir, ou par besoin, mais pour agrandir son domaine et son autorité. De même, dans notre société, les rapports sexuels n'ont pas pour objet la jouissance, la tendresse ou l'amour, mais la reproduction, l'augmentation du prestige du mâle, la surestimation du pénis. Voilà la signification de l'askari libanais...

Le premier l'interrompt :

- La fonction principale de l'askari, n'est pas de faire la guerre, comme dans une armée, mais de préserver sa confession, de la défendre des attaques de l'autre. Les milices n'ont presque jamais eu de stratégies offensives. La tactique des milices fut de gesticulation - excès de gestes militaires, bombardements statiques d'une région à l'autre, intimidations confessionnelles sur les cartes d'identité. La confession a pour souci son auto-conservation. Elle n'a pas un projet global, politique, national, culturel ou de civilisation, débordant son propre groupe. Son opération est défensive. Il lui importe de préserver son territoire, ses quartiers, etc.

153

Le deuxième l'interrompt :

- Le Liban ne constitue pas une formation socio-économique où on peut mettre en place des manœuvres de prise de pouvoir. Là réside la démarcation, le khat-al-tammasse, la division irrésolue, irréconciliable.

L'Américain s'adresse à l'hôtesse :

- Vous voyez, j'avais raison : Liban, pays irrésolu, morcelé, pays mort-né !

La femme, excédée, débarrasse les plats. Puis elle se tourne vers lui pour affirmer :

- En tout cas, je me sens très libanaise. C'est peut-être l'essentiel.

- C'est quoi, pour toi, être libanaise ? demande l'un des Libanais, qui semble finalement intéressé par ce qu'elle a à dire.

Elle soupire :

- C'est tant, tant de choses... Je ne peux pas les résumer si vite. Je vais vous donner une réponse spontanée, car je trouve les longues définitions, souvent stériles : le Liban, c'est le pluralisme, l'acceptation des différences, dans la tolérance. Le Liban, c'est le soleil de demain.

- Tu décris ce que c'était. Maintenant, nous assistons au contraire, souligne l'autre Libanais.

- Oui, malheureusement, les forces historiques, les puissances extérieures font pression, empêchent ce concept de se réaliser. Mais il est latent. Il existe. Il ressortira sûrement. Ce jour-là, ceux qui auront cru et travaillé à sa réalisation, le verront et le vivront. Ceux-là récolteront les fruits de leur patience.

Elle prépare le café. Les hommes continuent de discuter. Une des femmes l'aide à ranger. Elle se sent lourde et triste. Tout ce qu'elle a vécu, tout ce qu'elle ressent, tout ce qu'elle croit, est si difficile à communiquer. Comment leur faire voir la mer ? Comment leur faire accepter d'autres valeurs ? Comment rompre le pouvoir des discours qui perpétuent la violence ? Comment faire entendre une autre voix, au-dessus des canons et des fusils ? Comment toucher l'askari, comment panser toutes les blessures ?

Elle revient avec le plateau de café. Elle en offre à chacun. Puis elle prend sa guitare et elle chante. Elle essaie de transmettre la vision qu'elle porte au fond d'elle-même - un feu de douleur et d'espoir, un souffle de guérison et de pardon.

La ville est en flammes
La ville brûle, tordue de peur et encerclée de barbelés
Un enfant aveugle cherche, à tâtons, la route du fleuve
Ses mains se meurtrissent aux ronces
Les étoiles se sont éteintes, consumées par les flammes de haine

Mais je crie pour la tendresse
Et je chante pour l'amour
Je pleure l'oiseau mort, à la croisée des routes

Il suffirait d'un mot peut-être
Ou de deux mains entrelacées
Pour que folie devienne amour
Pour que partir devienne retour
Pour que la vie reprenne jour

Ô Sud de mon pays
Ô cœur de la folie
Où l'enfant est tombé
Au point sevré d'espoir
Au pont où il aurait fallu
Planter l'amour.

Il suffirait d'écrire peut-être
Une mélodie ou un refrain
Pour que les cris deviennent chant
Pour que l'enfant devienne oiseau
Pour que l'homme apprenne à aimer

Ô ville écartelée
Ô vignes ensanglantées
Ô corps suppliciés
Visages ravagés
Où il aurait fallu
Tisser l'amour.

Collection *Écritures arabes*

Collection Encres noires
sous la direction de Gérard da Silva

Guide de littérature africaine,
Patrick Mérand - Séwanou Dabla.

Achevé d'imprimer
par Corlet, Imprimeur, S.A.
14110 Condé-sur-Noireau

N° d'Imprimeur : 3396
Dépôt légal : mars 1988
Imprimé en France